A-Z ALDE

Key to Maps

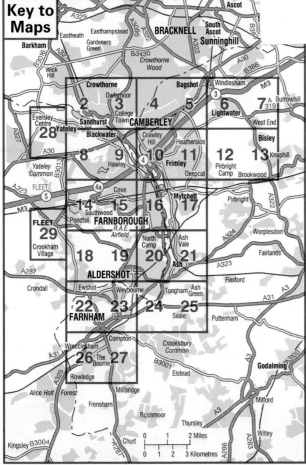

A Road	A30
B Road	B3015
Dual Carriageway	
One Way Street Traffic flow on A roads is indicated by a heavy line on the drivers' left	
Pedestrianized Road	
Restricted Access	
Track	
Footpath	
Residential Walkway	
Railway	Level Crossing / Station
Built Up Area	MILL ST.
Local Authority Boundary	
Posttown Boundary	
Postcode Boundary within Posttown	
Map Continuation	5
Car Park Selected	P
Church or Chapel	†
Fire Station	■
Hospital	H
House Numbers A & B Roads Only	2 33
Information Centre	i
National Grid Reference	145
Police Station	▲
Post Office	★
Toilet with Facilities for the Disabled	▽ ♿

Scale

1:19,000   3⅓ inches to 1 mile

0   ¼   ½   ¾ Mile

0   250   500   750 Metres   1 Kilometre

Copyright of Geographers' A-Z Map Company Limited

Head Office : Fairfield Road, Borough Green, Sevenoaks, Kent TN15 8PP Tel: 01732 781000
Showrooms : 44 Gray's Inn Road, London WC1X 8HX Tel: 0171 242 9246

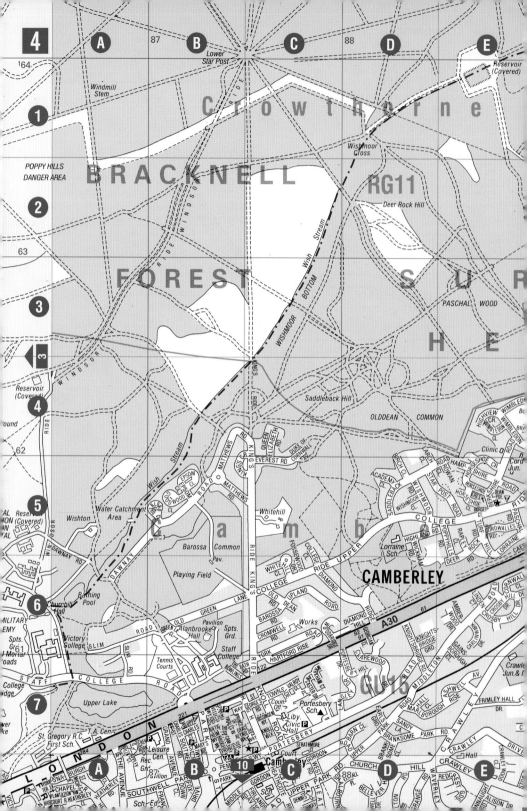

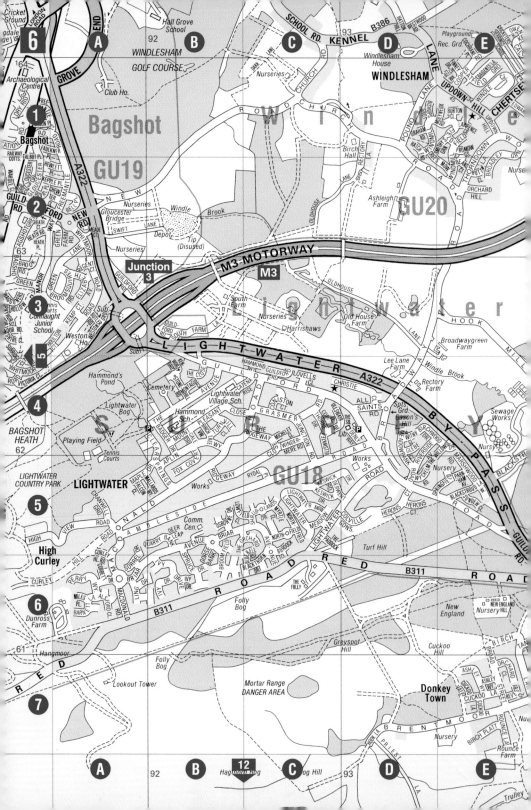

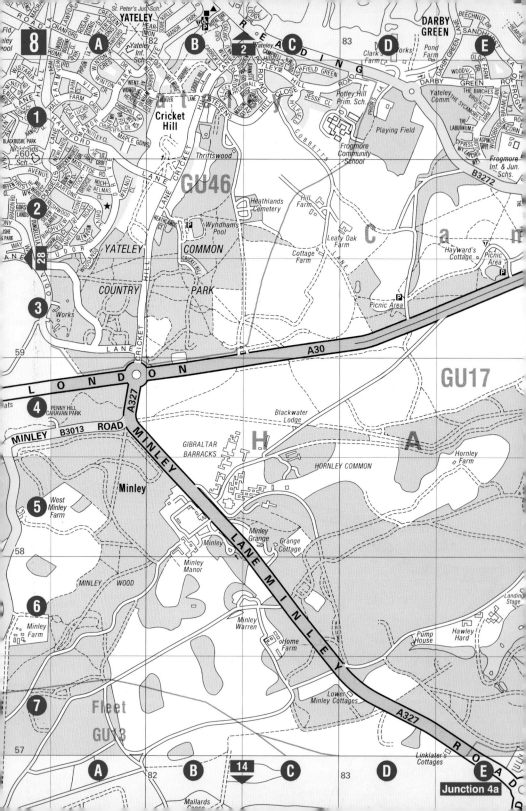

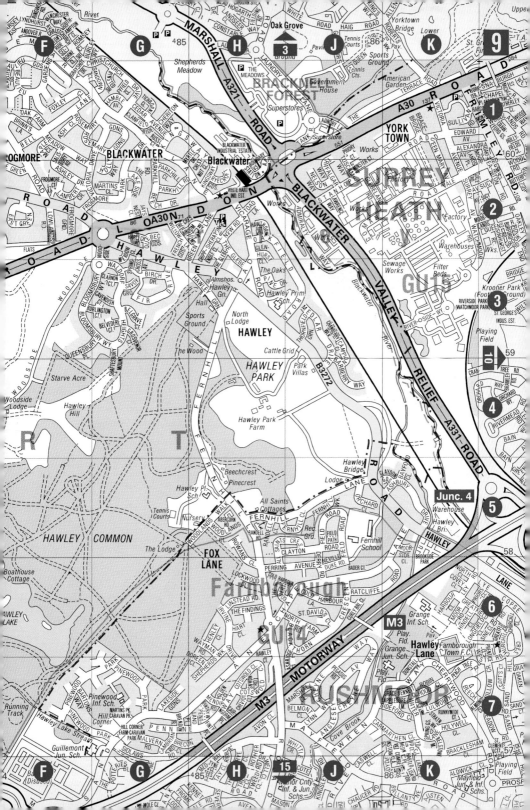

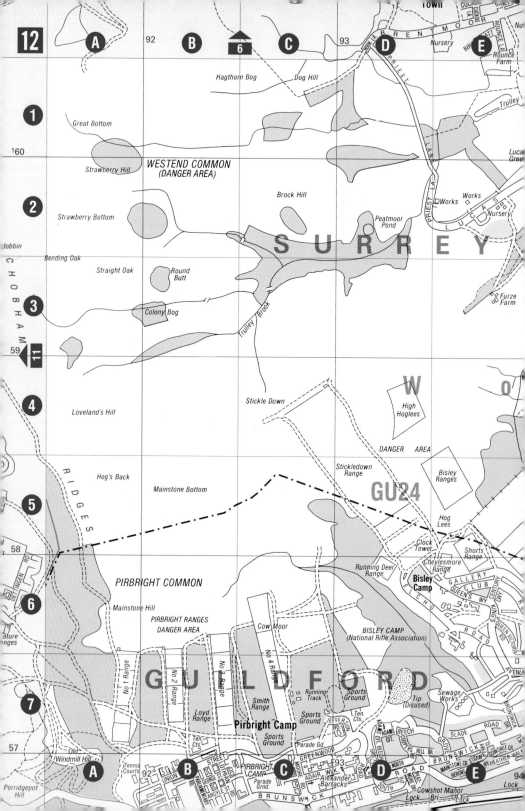

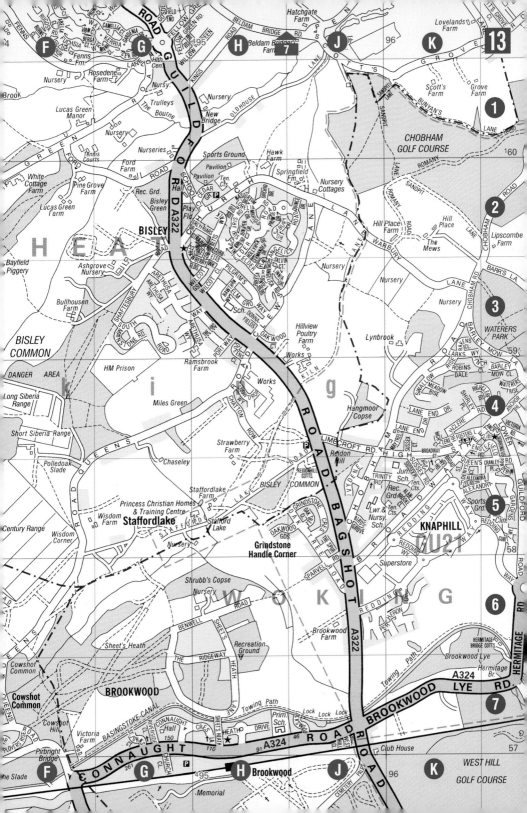

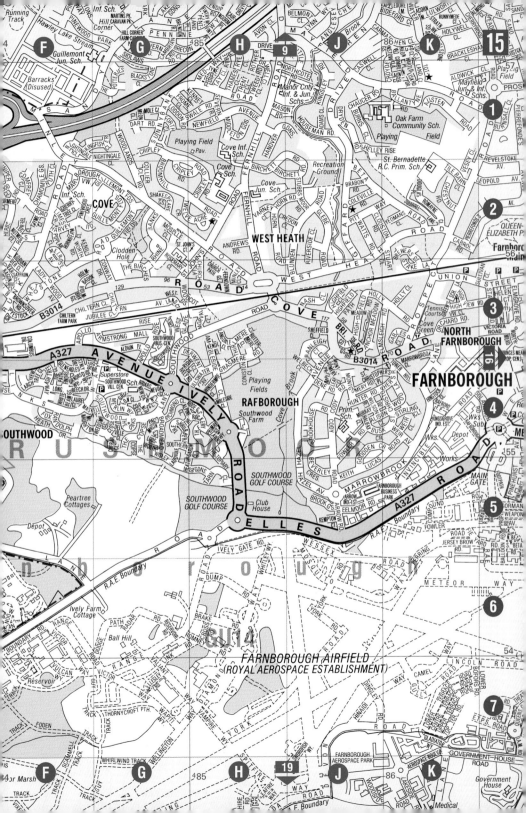

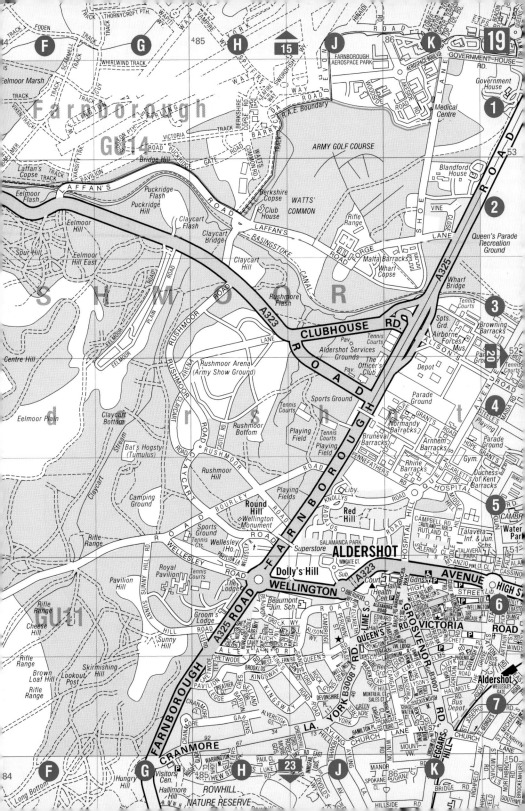

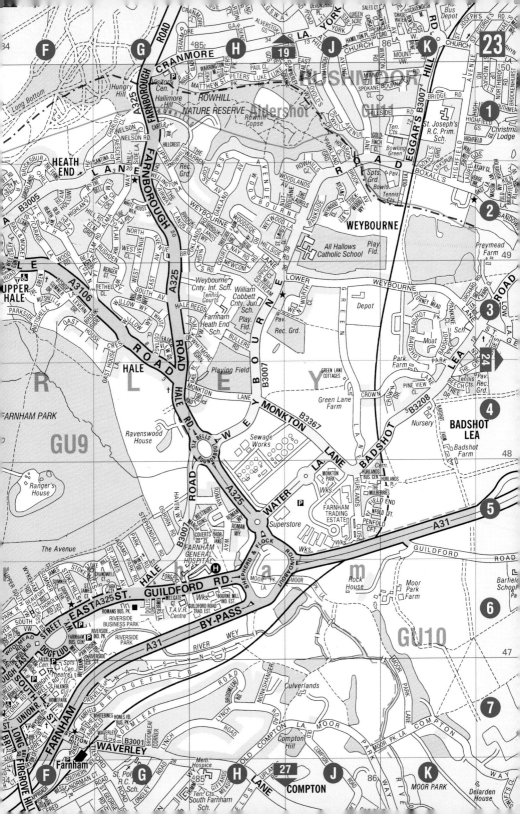

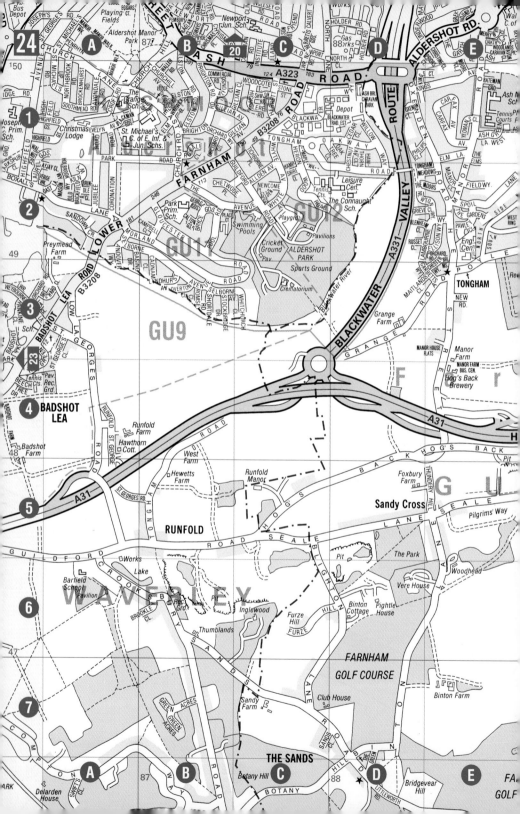

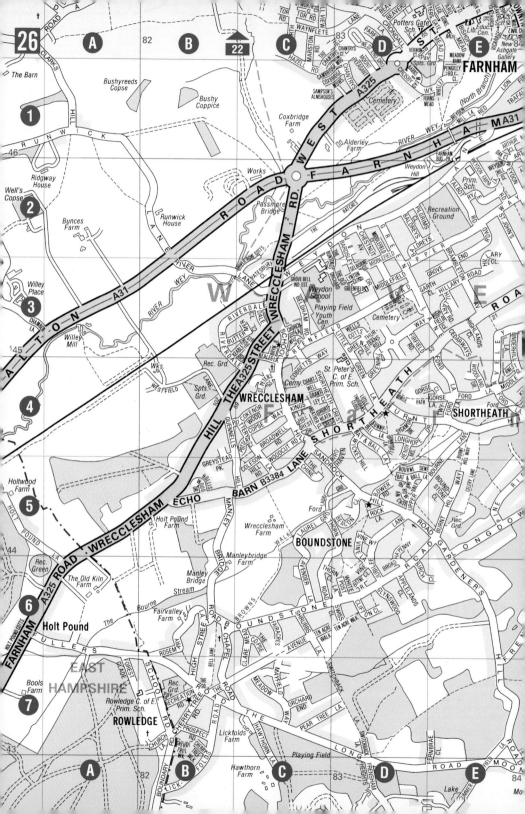

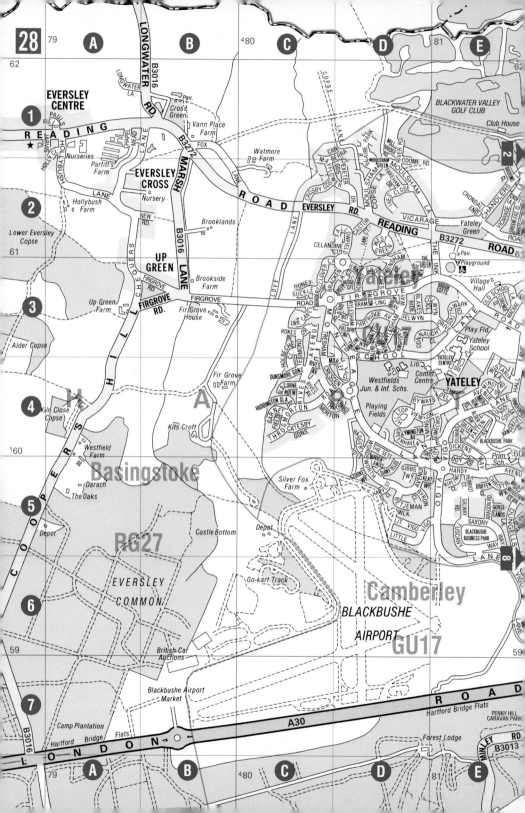

INDEX TO STREETS

Including Industrial Estates and a selection of Subsidiary Addresses.

HOW TO USE THIS INDEX

1. Each street name is followed by its Posttown or Postal Locality and then by its map reference; e.g. Abbey Way. *F'boro* —3B **16** is in the Farnborough Posttown and is to be found in square 3B on page **16**. The page number being shown in bold type.
   A strict alphabetical order is followed in which Av., Rd., St., etc. (though abbreviated) are read in full and as part of the street name; e.g. Beechbrook Av. appears after Beech Av. but before Beech Dri.

2. Streets and a selection of Subsidiary names not shown on the Maps, appear in the index in *Italics* with the thoroughfare to which it is connected shown in brackets; e.g. *Australia Ter. Frim G* —6J **11** (off Cyprus Rd.)

GENERAL ABBREVIATIONS

All : Alley	Chyd : Churchyard	Ga : Gate	M : Mews	Sta : Station
App : Approach	Circ : Circle	Gt : Great	Mt : Mount	St : Street
Arc : Arcade	Cir : Circus	Grn : Green	N : North	Ter : Terrace
Av : Avenue	Clo : Close	Gro : Grove	Pal : Palace	Trad : Trading
Bk : Back	Comn : Common	Ho : House	Pde : Parade	Up : Upper
Boulevd : Boulevard	Cotts : Cottages	Ind : Industrial	Pk : Park	Vs : Villas
Bri : Bridge	Ct : Court	Junct : Junction	Pas : Passage	Wlk : Walk
B'way : Broadway	Cres : Crescent	La : Lane	Pl : Place	W : West
Bldgs : Buildings	Dri : Drive	Lit : Little	Quad : Quadrant	Yd : Yard
Bus : Business	E : East	Lwr : Lower	Rd : Road	
Cvn : Caravan	Embkmt : Embankment	Mnr : Manor	Shop : Shopping	
Cen : Centre	Est : Estate	Mans : Mansions	S : South	
Chu : Church	Gdns : Gardens	Mkt : Market	Sq : Square	

POSTTOWN AND POSTAL LOCALITY ABBREVIATIONS

Ald : Aldbury	*Chob* : Chobham	*F'boro* : Farnborough	*Lwr Bo* : Lower Bourne	*Tong* : Tongham
Alder : Aldershot	*C Crook* : Church Crookham	*Farnh* : Farnham	*Myt* : Mytchett	*Up Hal* : Upper Hale
Ash : Ash	*Col T* : College Town	*Fleet* : Fleet	*Norm* : Normandy	*Wel C* : Wellington College
Ash V : Ash Vale	*Crook V* : Crookham Village	*Fren* : Frensham	*Owl* : Owlsmoor	*W End* : West End
Bad L : Badshot Lea	*Crowt* : Crowthorne	*Frim* : Frimley	*Pirb* : Pirbright	*W'sham* : Windlesham
Bag : Bagshot	*Deep* : Deepcut	*Frim G* : Frimley Green	*Putt* : Puttenham	*Wok* : Woking
Bisl : Bisley	*Elv* : Elvetham	*Frogm* : Frogmore	*Rowl* : Rowledge	*Wrec* : Wrecclesham
B'water : Blackwater	*Eve* : Eversley	*Hawl* : Hawley	*Runf* : Runfold	*Yat* : Yateley
Bourne : Bourne, The	*Eve C* : Eversley Centre	*Holt P* : Holt Pound	*Sand* : Sandhurst	
Brkwd : Brookwood	*Eve X* : Eversley Cross	*Knap* : Knaphill	*Seale* : Seale	
Camb : Camberley	*Ews* : Ewshot	*Light* : Lightwater	*Tilf* : Tilford	

INDEX TO STREETS

Abbetts La. *Camb* —3A **10**
Abbey Ct. *Camb* —1C **10**
Abbey Ct. *Farnh* —7F **23**
Abbey St. *Farnh* —7F **23**
Abbey Way. *F'boro* —3B **16**
Abbeywood. *Ash V* —4G **21**
Abbots Clo. *Fleet* —2K **29**
Abbot's Ride. *Farnh* —2H **27**
Abelia Clo. *W End* —7F **7**
Abercorn Ho. *Hawl* —5H **9**
Abingdon Rd. *Sand* —5F **3**
Acacia Av. *Owl* —4G **3**
Academy Clo. *Camb* —5D **4**
Acer Clo. *W End* —7G **7**
Acheulian Clo. *Farnh* —3F **27**
Ackrells Mead. *Sand* —4C **2**
Acorn M. *F'boro* —7K **9**
Acorn Rd. *B'water* —1E **8**
Adair Wlk. *Pirb* —7C **12**
Adams Croft. *Brkwd* —7D **12**
Adams Dri. *Fleet* —6B **14**
Adams Pk. Rd. *Farnh* —5G **23**
Addiscombe Rd. *Crowt* —1F **3**
Addison Rd. *Frim* —6D **10**
Adlington Pl. *F'boro* —5D **16**
Admiralty Way. *Camb* —2J **9**
Aerospace Boulevd. *F'boro*
—1K **19**
Ainger Clo. *Alder* —5C **20**
Aircraft Esplanade. *F'boro*
—6B **16**
Aisne Rd. *Deep* —5K **11**
Alamein Rd. *Alder* —6A **20**
Alanbrooke Clo. *Knap* —5K **13**
Alanbrooke Rd. *Alder* —2C **20**
Albany Clo. *Fleet* —7A **14**
Albany Ct. *Fleet* —6A **14**
Albany Pk. *Camb* —5B **10**
Albany Rd. *Fleet* —3K **29**
Albert Rd. *Alder* —6A **20**
Albert Rd. *Bag* —4K **5**
Albert Rd. *Crowt* —1E **2**
Albert Rd. *F'boro* —5B **16**
Albert St. *Fleet* —3J **29**
Albion Rd. *Sand* —5E **2**
Albury Cotts. *Ash* —6H **21**
Alcot Clo. *Crowt* —1E **2**
Alderbrook Clo. *Crowt* —1B **2**
Alder Clo. *Ash V* —1F **21**
Alder Gro. *Yat* —4E **28**
Aldershot Lodge. *Alder* —1K **23**

Aldershot Rd. *Ash* —1D **24**
Aldershot Rd. *C Crook* —7J **29**
Aldershot Rd. *Farnh* —7F **23**
Alders, The. *C Crook* —6H **29**
Aldrin Pl. *F'boro* —3G **15**
Aldwick Clo. *F'boro* —1K **15**
Alexandra Av. *Camb* —1K **9**
Alexandra Ct. *F'boro* —6B **16**
Alexandra Gdns. *Knap* —5K **13**
Alexandra Rd. *Alder* —6H **19**
(in two parts)
Alexandra Rd. *Ash* —7E **20**
Alexandra Rd. *F'boro* —5B **16**
Alfonso Clo. *Alder* —1B **24**
Alfred Rd. *Farnh* —1F **27**
Alfriston Rd. *Deep* —7H **11**
Alice Rd. *Alder* —6A **20**
Alison Clo. *F'boro* —4J **15**
Alison Dri. *Camb* —1E **10**
Alison's Rd. *Alder* —3K **19**
Alison Way. *Alder* —6J **19**
Allden Av. *Alder* —2C **24**
Allden Gdns. *Alder* —2C **24**
Allenby Rd. *Camb* —7K **3**
Allendale Clo. *Sand* —3D **2**
All Saints Cres. *F'boro* —5H **9**
All Saints Rd. *Light* —4D **6**
Alma Clo. *Alder* —6C **20**
Alma Cotts. *F'boro* —7B **16**
Alma Gdns. *Deep* —6J **11**
Alma La. *Farnh* —2E **22**
Alma Sq. *F'boro* —7B **16**
Alma Way. *Farnh* —2G **23**
Almond Clo. *F'boro* —7K **9**
Almond Ct. *Camb* —2A **18**
Aloes, The. *Fleet* —7A **14**
Alphington Av. *Frim* —5D **10**
Alphington Grn. *Frim* —5E **10**
Alpine Clo. *F'boro* —4G **15**
Alsace Wlk. *Camb* —5A **10**
Alsford Clo. *Light* —6A **6**
Alton Ride. *B'water* —7F **3**
Alton Rd. *Farnh* —4A **26**
Alton Rd. *Fleet* —6B **14**
Alverstoke Gdns. *Alder* —7H **19**
Ambarrow Cres. *Sand* —4C **2**
Ambarrow La. *Sand* —3A **2**
Amber Ct. *Alder* —6B **20**
Amber Hill. *Camb* —2G **11**
Amberley Grange. *Alder* —1J **23**

Amberwood Dri. *Camb* —6E **4**
Ambleside Clo. *F'boro* —3H **15**
Ambleside Clo. *Myt* —5F **17**
Ambleside Cres. *Farnh* —3D **22**
Ambleside Rd. *Light* —5A **6**
Amity Way. *Camb* —1D **10**
Ancells Bus. Pk. *Fleet* —2A **14**
Ancells Rd. *Fleet* —3A **14**
Anchor Cres. *Knap* —4K **13**
Anchor Hill. *Knap* —4K **13**
Anchor Meadow. *F'boro* —3J **15**
Anderson Pl. *Bag* —1K **5**
Andover Rd. *B'water* —7F **3**
Andover Way. *Alder* —2A **24**
Andrewartha Rd. *F'boro* —5D **16**
Andrews Clo. *C Crook* —5K **29**
Andrews Rd. *F'boro* —2H **15**
Angelica Rd. *Bisl* —2H **13**
Anglesey Av. *F'boro* —7J **9**
Anglesey Rd. *Alder* —7C **20**
Angora Way. *Fleet* —3A **14**
Annandale Dri. *Lwr Bo* —4G **25**
Anne Armstrong Clo. *Alder*
—3C **20**
Annes Way. *C Crook* —2A **18**
Annettes Croft. *C Crook* —7H **29**
Ansell Rd. *Frim* —6D **10**
Anzio Clo. *Alder* —6K **19**
Apex Dri. *Frim* —5C **10**
Aplin Way. *Light* —5B **6**
Apollo Rise. *Swd P* —3F **15**
Appledore M. *F'boro* —7K **9**
Applelands Clo. *Wrec* —6D **25**
Apple Tree Way. *Owl* —4G **3**
Appley Ct. *Camb* —1A **10**
Appley Dri. *Camb* —7A **4**
Approach Rd. *Farnh* —1F **27**
April Clo. *Camb* —4B **10**
Aragon Rd. *Yat* —5E **28**
Arcade, The. *Alder* —6K **19**
Ardrossan Av. *Camb* —2F **11**
Ardwell Clo. *Crowt* —1B **2**
Arena La. *Alder* —4G **19**
Arenal Dri. *Crowt* —2E **2**
Arethusa Way. *Bisl* —3G **13**
Argente Clo. *F'boro* —3A **14**
Argyle St. *Pirb* —7B **12**
Arlington Ter. *Alder* —7A **20**
Armitage Dri. *Frim* —5E **10**
Armstrong Mall. *Swd P* —3G **15**
Arnhem Barracks. *Alder* —4K **19**

Arnhem Clo. *Alder* —6A **20**
Arrow Ind. Est. *F'boro* —5J **15**
Arrow Rd. *F'boro* —5J **15**
Arthur Clo. *Bag* —4K **5**
Arthur Clo. *Farnh* —1E **26**
Arthur Rd. *Farnh* —1E **26**
(in two parts)
Arthur St. *Alder* —7A **20**
Artillery Rd. *Alder* —6A **20**
(Aldershot)
Artillery Rd. *Alder* —1C **20**
(North Camp)
Arundel Clo. *Fleet* —7A **14**
Arundel Pl. *Farnh* —7E **22**
Arundel Rd. *Camb* —2H **11**
Ascot Ct. *Alder* —7A **19**
Ashbourne Clo. *Ash* —5H **21**
Ashbourne Ct. *Ash* —5H **21**
Ash Bri. Cvn. Pk. *Ash* —1D **24**
Ashbury Dri. *B'water* —5K **9**
Ash Chu. Rd. *Ash* —6G **21**
Ash Clo. *Ash* —5G **21**
Ash Clo. *B'water* —1F **9**
Ashdene Cres. *Ash* —5F **21**
Ashdene Rd. *Ash* —5F **21**
Ashdown Av. *F'boro* —5C **16**
Ashfield Grn. *Yat* —1C **8**
Ash Grn. La. E. *Ash* —1H **25**
Ash Grn. La. W. *Tong & Ash*
—1E **24**
Ash Grn. Rd. *Ash* —7H **21**
Ash Hill Rd. *Ash* —4F **21**
Ashley Clo. *F'boro* —7F **9**
Ashley Dri. *Camb* —2F **9**
Ashley Rd. *F'boro* —3C **16**
Ashley Way. *W End* —7E **6**
Ash Lodge Clo. *Ash* —7F **21**
Ash Lodge Dri. *Ash* —7E **20**
Ashridge. *F'boro* —7J **9**
Ash Rd. *Alder* —7F **20**
Ash St. *Ash* —7E **20**
Ash Tree Clo. *F'boro* —4F **15**
Ashurst Rd. *Ash V* —4E **20**
Ashwell Av. *Camb* —1E **10**
Aspin Way. *B'water* —1E **8**
Atbara Rd. *C Crook* —7K **29**
Atfield Gro. *W'sham* —1E **6**
Atrebatti Rd. *Sand* —4F **3**
Attenborough Clo. *Fleet* —4A **14**
Attfield Clo. *Ash* —7E **20**
Attlee Gdns. *C Crook* —7J **29**

Auchinleck Way. *Alder* —6H **19**
Augustus Gdns. *Camb* —1H **11**
Austen Rd. *F'boro* —1K **15**
Australia Ter. Frim G —6J **11**
(off Cyprus Rd.)
Aveley Clo. *Farnh* —3F **27**
Aveley La. *Farnh* —4E **26**
Avenue Rd. *F'boro* —3C **16**
Avenue Rd. *Fleet* —1J **29**
Avenue Sucy. *Camb* —2A **10**
Avenue, The. *Alder* —2C **24**
Avenue, The. *Camb* —1A **10**
Avenue, The. *Crowt* —1E **2**
Avenue, The. *Fleet* —2H **29**
Avenue, The. *Light* —4B **6**
Avenue, The. *Rowl* —6C **26**
Avery Ct. *Alder* —6A **20**
(off Alice Rd.)
Avocet Cres. *Col T* —5G **3**
Avon Clo. *Ash* —7E **20**
Avon Clo. *F'boro* —7H **9**
Avon Ct. *Farnh* —1F **27**
Avondale. *Ash V* —1E **20**
Avondale Rd. *Alder* —1A **24**
Avondale Rd. *Fleet* —1K **29**
Avon Rd. *Farnh* —1F **27**
Award Rd. *C Crook* —6J **29**
(in two parts)
Ayjay Clo. *Alder* —2A **24**
Aylesham Way. *Yat* —3D **28**
Ayling Ct. *Farnh* —2J **23**
Ayling Hill. *Alder* —7J **19**
Ayling La. *Alder* —1J **23**
Ayrshire Gdns. *Fleet* —3A **14**
Azalea Gdns. *C Crook* —3A **18**
Azalea Way. *Camb* —7G **5**

Babbs Mead. *Farnh* —1D **26**
Bacon Clo. *Col T* —6G **3**
Badajos Rd. *Alder* —5J **19**
Bader Ct. *F'boro* —6J **15**
Badgers Clo. *Fleet* —3J **29**
Badgers Copse. *Camb* —3D **10**
Badgers Holt. *Yat* —1A **28**
Badger Way. *Ews* —1A **22**
Badgerwood Dri. *Frim* —4C **10**
Badshot Farm La. *Bad L* —4K **23**
Badshot Lea Rd. *Bad L* —4J **23**
Badshot Pk. *Bad L* —3K **23**

Bagshot Grn.—Cambrian Clo.

Bagshot Grn. *Bag* —2K **5**
Bagshot Rd. *Knap* —5J **13**
Bagshot Rd. *W End* —6F **7**
Baigents La. *W'sham* —1E **6**
Bailey Clo. *Frim* —6C **10**
Baileys Clo. *B'water* —2F **9**
Bain Av. *Camb* —4A **10**
Baird Rd. *F'boro* —1B **16**
Baldreys. *Farnh* —2D **26**
Balintore Ct. *Col T* —5G **3**
Ballantyne Rd. *F'boro* —1K **15**
Ballard Ct. *Camb* —5F **5**
Ballard Rd. *Camb* —5F **5**
Balliol Way. *Owl* —4H **3**
Ball & Wicket La. *Farnh* —2F **23**
Balmoral Cres. *Farnh* —3E **22**
Balmoral Dri. *Frim* —6D **10**
Balmoral Rd. *Ash V* —4F **21**
Banbury Clo. *Frim* —7E **10**
Bank Rd. *Alder* —3C **20**
Bankside. *Farnh* —2J **23**
Bannister Gdns. *Yat* —1C **8**
Barbara Clo. *C Crook* —2A **18**
Barberry Clo. *Fleet* —5K **29**
Barberry Way. *B'water* —4J **9**
Barbon Clo. *Camb* —3J **11**
Bardsley Dri. *Farnh* —2D **26**
Barford Clo. *Fleet* —7C **14**
Barge Clo. *Alder* —3D **20**
Barkis Mead. *Owl* —3H **3**
Barley Mow Clo. *Knap* —4K **13**
Barley Mow La. *Knap* —3K **13**
Barley Way. *Fleet* —2A **14**
Barnard Clo. *Frim* —6E **10**
Barn Clo. *Camb* —7D **4**
Barncroft. *Farnh* —1F **27**
(in two parts)
Barnes Clo. *F'boro* —3C **16**
Barnes Rd. *Frim* —6D **10**
Barnett La. *Light* —6A **6**
Barn Field. *Yat* —1A **8**
Barn Meadow Clo. *C Crook* —7H **29**
Barnsford Cres. *W End* —7H **7**
Barnsley Clo. *Ash V* —5G **17**
Barossa Rd. *Camb* —6C **4**
Barracane Dri. *Crowt* —1E **2**
Barrack Rd. *Alder* —6K **19**
Barrie Rd. *Farnh* —2D **22**
Barr's La. *Knap* —3K **13**
Barton Clo. *Alder* —7H **19**
Bartons Dri. *Yat* —2A **8**
Bartons Way. *F'boro* —7F **9**
Barwell Clo. *Crowt* —1C **2**
Basingbourne Clo. *Fleet* —5K **29**
Basingbourne Rd. *Fleet* —6J **29**
Basing Dri. *Alder* —2A **24**
Basset Clo. *Frim* —6D **10**
Bat & Ball La. *Wrec* —4D **26**
(in two parts)
Bateman Gro. *Ash* —1E **24**
Bath Rd. *Camb* —7C **4**
Bayfield Av. *Frim* —4C **10**
Bayford Clo. *B'water* —5K **9**
Baywood Clo. *F'boro* —2F **15**
Beacon Clo. *Wrec* —5D **26**
Beacon Gdns. *Fleet* —2H **29**
Beacon Hill Rd. *C Crook & Ews* —3A **18**
Beales La. *Wrec* —3C **26**
Beam Hollow. *Farnh* —2F **23**
Bear La. *Farnh* —6E **22**
Bearwood Gdns. *Fleet* —2K **29**
Beaufort Rd. *C Crook* —2A **18**
Beaufort Rd. *Farnh* —6F **23**
Beaufront Clo. *Camb* —6F **5**
Beaufront Rd. *Camb* —6F **5**
Beaulieu Gdns. *B'water* —1F **9**
Beaumaris Pde. *Frim* —6E **10**
Beaumont Gro. *Alder* —6H **19**
Beaver La. *Yat* —1B **8**
Beavers Clo. *Farnh* —7D **22**
Beavers Hill. *Farnh* —7C **22**
Beavers Rd. *Farnh* —7D **22**
Beck Gdns. *Farnh* —3E **22**
Bedford Av. *Frim G* —2E **16**
Bedford Cres. *Frim G* —1D **16**
Bedford La. *Frim G* —1E **16**
Beech Av. *Camb* —2C **10**
Beech Av. *Lwr Bo* —5F **27**
Beechbrook Av. *Yat* —1B **8**
Beech Dri. *B'water* —2G **9**
Beeches, The. *Ash V* —7E **16**
Beech Farm La. *Camb* —2E **10**
Beech Gro. *Brkwd* —7D **12**
Beeching Clo. *Ash* —5G **21**
Beechnut Dri. *B'water* —7E **2**
Beechnut Ind. Est. *Alder* —7A **20**
Beechnut Rd. *Alder* —7A **20**
Beech Ride. *Fleet* —4J **29**
Beech Ride. *Sand* —5E **2**
Beech Rd. *F'boro* —7K **9**
Beech Rd. *Frim G* —1E **16**
Beech Tree Dri. *Bad L* —4K **23**
Beech Wlk. *W'sham* —1E **6**
Beechwood Clo. *C Crook* —5H **29**
Beeton's Av. *Ash* —4F **21**
Beggars La. *Chob* —5K **7**
Beldam Bri. Rd. *W End* —7H **7**
Beldham Rd. *Farnh* —3C **26**
Belgrave Ct. *B'water* —3G **9**
Belland Dri. *Alder* —7H **19**
Bell Clo. *F'boro* —1B **16**
Bellever Hill. *Camb* —1D **10**
Belle Vue Clo. *Alder* —6C **20**
Belle Vue Enterprise Cen. *Alder* —6D **20**
Belle Vue Rd. *Alder* —6C **20**
Bellew Rd. *Deep* —1G **17**
Bellingham Clo. *Camb* —2H **11**
Bell La. *B'water* —1F **9**
Bell La. *Rowl* —7B **26**
Bell Pl. *Bag* —2A **6**
Belmont Clo. *F'boro* —7J **9**
Belmont M. *Camb* —3B **10**
Belmont Rd. *Camb* —2B **10**
Belstone M. *F'boro* —7K **9**
Belton Rd. *Camb* —1D **10**
Belvedere Clo. *Fleet* —2F **29**
Belvedere Ct. *B'water* —3G **9**
Belvedere Rd. *F'boro* —5B **16**
Belvoir Clo. *Frim* —5E **10**
Benner La. *W End* —6G **7**
Bennet Ct. *Camb* —1B **10**
Benson Rd. *Crowt* —1C **2**
Bentley Copse. *Camb* —2G **11**
Benwell Rd. *Brkwd* —6G **13**
Beresford Clo. *Frim G* —1E **16**
Bergenia Ct. *W End* —7F **7**
Berger M. *Yat* —3E **28**
Berkeley Clo. *Fleet* —6A **14**
Berkeley Cres. *Frim* —6F **11**
Berkshire Rd. *Camb* —5E **4**
Bermuda Ter. Frim G —6J 11
(off Crimea Rd.)
Bernard Ct. *Camb* —2A **10**
Bernersh Clo. *Sand* —4F **3**
Berrybank. *Col T* —7H **3**
Beta Rd. *F'boro* —2J **15**
Bethel Clo. *Farnh* —3G **23**
Bethel La. *Farnh* —2F **23**
Betjeman Wlk. *Yat* —5D **28**
Beveren Clo. *Fleet* —3A **14**
Beverley Clo. *Ash* —7E **20**
Beverley Clo. *Camb* —7J **5**
Beverley Cres. *F'boro* —5J **15**
Bicknell Rd. *Frim* —4D **10**
Bideford Clo. *F'boro* —7K **9**
Bietigheim Way. *Camb* —7B **4**
Binstead Copse. *Fleet* —4J **29**
Binsted Dri. *B'water* —1G **9**
Binton La. *Seale* —7D **24**
Birch Av. *Fleet* —1J **29**
Birch Clo. *Camb* —5D **4**
Birch Clo. *Wrec* —6D **26**
Birch Dri. *B'water* —3G **9**
Birches, The. *B'water* —1E **8**
Birches, The. *F'boro* —3G **15**
Birchett Rd. *Alder* —6K **19**
Birchett Rd. *F'boro* —2H **15**
Birchfields. *Camb* —2B **10**
Birchlands Ct. *Sand* —3H **3**
Birch La. *W End* —6E **6**
Birch Pde. *Fleet* —2J **29**
Birch Platt. *W End* —7E **6**
Birch Rd. *W'sham* —1F **7**
Birch Tree View. *Light* —4B **6**
Birchview Clo. *Yat* —5E **28**
Birch Way. *Ash V* —1F **21**
Birchwood Dri. *Light* —4D **6**
Birdhaven. *Wrec* —4D **26**
Birdsgrove. *Knap* —5J **13**
Birdwood Rd. *Col T* —6J **3**
Birkbeck Pl. *Owl* —4H **3**
Bishops Clo. *Fleet* —5K **29**
Bishops Gro. *W'sham* —1D **6**
Bishops Mead. *Farnh* —7E **22**
Bishops Rd. *Farnh* —2E **22**
Bishop Sumner Dri. *Farnh* —3F **23**
Bissingen Way. *Camb* —7C **4**
Bittern Clo. *Col T* —5G **3**
Blackbird Clo. *Col T* —5G **3**
Blackbushe Airport. *Yat* —6D **28**
Blackbushe Bus. Pk. *Yat* —5E **28**
Blackbushe Pk. *Yat* —4E **28**
Blackcap Pl. *Col T* —5H **3**
Blackdown Barracks. *Frim G*
(in two parts) —6K **11**
Blackdown Rd. *Deep* —7H **11**
Blackheath Rd. *Farnh* —2D **22**
Blackman Gdns. *Alder* —1A **24**
Black Pond La. *Lwr Bo* —4F **27**
Blackstone Clo. *F'boro* —1G **15**
Blackstroud La. E. *Light* —5E **6**
Blackstroud La. W. *Light* —5E **6**
Blackthorn Cres. *F'boro* —6J **9**
Blackthorn Dri. *Light* —6C **6**
Blackwater Clo. *Ash* —7F **21**
Blackwater Ind. Est. *B'water* —1H **9**
Blackwater Trad. Est. *Alder* —1C **24**
Blackwater Valley Relief Rd. *Camb* —2J **9**
Blackwater Valley Route. *Alder* —3D **24**
Blackwater Valley Route. *F'boro* —7C **10**
Blackwater Way. *Alder* —1C **24**
Blaire Pk. *Yat* —1D **28**
Blaise Clo. *F'boro* —4C **16**
Blake Clo. *Crowt* —1F **3**
Blakes Ride. *Yat* —3D **28**
Blenheim Clo. *Tong* —2D **24**
Blenheim Ct. *F'boro* —5C **16**
Blenheim Cres. *Farnh* —4D **22**
Blenheim Pk. *Alder* —1B **20**
Blenheim Rd. *Alder* —1A **20**
Blighton La. *Farnh* —6C **24**
Blind La. *W End* —4G **7**
Bloomsbury Way. *B'water* —3F **9**
Bluebell Rise. *Light* —6C **6**
Bluebell Wlk. *Fleet* —1J **29**
Blue Pryor Ct. *C Crook* —7H **29**
Bluethroat Clo. *Col T* —5H **3**
Bluff Cove. *Alder* —5B **20**
Blunden Rd. *F'boro* —3J **15**
Blythwood Dri. *Frim* —4C **10**
Bolding Ho. La. *W End* —7G **7**
Borderside. *Yat* —3C **28**
Borelli M. *Farnh* —7F **23**
Borelli Yd. *Farnh* —7F **23**
Borough, The. *Farnh* —7E **22**
Borrowdale Gdns. *Camb* —1J **11**
Botany Hill. *Seale* —7C **24**
Boulter's Rd. *Alder* —6A **20**
Boundary Rd. *Dock* —7B **26**
Boundary Rd. *F'boro* —5B **16**
Boundary Vs. *B'water* —2H **9**
Boundstone Clo. *Wrec* —5E **26**
Boundstone Rd. *Rowl* —6C **26**
Bourley La. *Ews* —6C **18**
Bourley Rd. *C Crook & Ews* —4B **18**
Bourne Ct. *Alder* —1K **23**
Bourne Dene. *Wrec* —5D **26**
Bourne Firs. *Lwr Bo* —5G **27**
Bourne Gro. *Lwr Bo* —3H **27**
Bourne Gro. Clo. *Lwr Bo* —3H **27**
Bourne Gro. Dri. *Lwr Bo* —3H **27**
Bourne Mill Ind. Est. *Farnh* —6H **23**
Bourne, The. *Fleet* —5K **29**
Bowenhurst Gdns. *C Crook* —6K **29**
Bowenhurst Rd. *C Crook* —6K **29**
Bower Rd. *Wrec* —5D **26**
Bowling Grn. Ct. *Frim G* —7D **10**
Bowlings, The. *Camb* —7B **4**
Bowman Ct. *Wel C* —1C **2**
Boxall's Gro. *Alder* —2K **23**
Boxall's La. *Alder* —2K **23**
Brabon Rd. *F'boro* —2J **15**
Bracebridge. *Camb* —1K **9**
Brackendale Clo. *Camb* —3D **10**
Brackendale Rd. *Camb* —1C **10**
Brackendene. *Ash* —5H **21**
Bracken Hollow. *Camb* —5G **5**
Bracken La. *Yat* —3C **28**
Brackenwood. *Camb* —1J **11**
Bracklesham Clo. *F'boro* —7K **9**
Bracknell Clo. *Camb* —4E **4**
Bracknell Rd. *Camb* —3F **5**
Braemar Clo. *Frim* —6E **10**
Bramblebank. *Frim G* —1F **17**
Brambles Clo. *Ash* —7G **21**
Brambleton Av. *Farnh* —2E **26**
Bramblewood Pl. *Fleet* —2H **29**
Bramcote. *Camb* —1H **11**
Bramley Ct. *Crowt* —1B **2**
Bramley La. *B'water* —1E **8**
Bramley Rd. *Camb* —4A **10**
Bramling Av. *Yat* —3D **28**
Bramshot Dri. *Fleet* —1K **29**
Bramshot La. *Fleet* —3D **14**
Brandon Clo. *Camb* —2J **11**
Brandon Rd. *C Crook* —6H **29**
Branksome Clo. *Camb* —7D **4**
Branksome Ct. *Fleet* —2J **29**
Branksome Hill Rd. *Sand* —6H **3**
Branksome Pk. Rd. *Camb* —7D **4**
Branksomewood Rd. *Fleet* —1H **29**
Braye Clo. *Sand* —4F **3**
Brecon Clo. *F'boro* —7G **9**
Breech, The. *Col T* —6H **3**
Brendon Rd. *F'boro* —7G **9**
Brentmoor Rd. *W End* —7D **6**
Brethart Rd. *Frim* —5D **10**
Brewers Clo. *F'boro* —2K **15**
Briar Av. *Light* —6A **6**
Briarleas Ct. *F'boro* —7C **16**
Briars Clo. *F'boro* —4G **15**
Briars, The. *Ash* —7G **21**
Brickfield Cotts. *Crowt* —2C **2**
Brick La. *Fleet* —1J **29**
Bricksbury Hill. *Farnh* —2F **23**
Bridge End. *Camb* —2A **10**
Bridgefield. *Farnh* —7G **23**
Bridgemead. *Frim* —6B **10**
Bridge M. *Tong* —2E **24**
Bridge Rd. *Alder* —1K **23**
Bridge Rd. *Bag* —2K **5**
Bridge Rd. *Camb* —3A **10**
Bridge Rd. *F'boro* —3J **15**
Bridge Sq. *Farnh* —7F **23**
Bridge Wlk. *Yat* —6A **2**
Bridle Ct. *Alder* —6H **19**
Brighton Rd. *Alder* —1B **24**
Brightwells Rd. *Farnh* —7F **23**
Brindle Clo. *Alder* —2A **24**
Brinksway. *Fleet* —3K **29**
Brinn's La. *B'water* —1F **9**
Bristow Rd. *Camb* —3A **10**
Brittain Ct. *Sand* —6F **3**
Britten Clo. *Ash* —6G **21**
Broadacres. *Fleet* —3G **29**
Broad Ha'penny. *Wrec* —6D **26**
Broadhurst. *F'boro* —3F **15**
Broadlands. *F'boro* —5D **16**
Broadlands. *Frim* —6E **10**
Broadley Grn. *W'sham* —2E **6**
Broadmead. *F'boro* —4G **15**
Broadmoor Est. *Crowt* —1G **3**
Broad St. *W End* —6E **6**
Broad Wlk. *Frim* —4D **10**
Broadway. *Knap* —5J **13**
Broadway Ct. *Knap* —4K **13**
Broadway Ho. *Knap* —5K **13**
Broadway Rd. *Light & W'sham* —4D **6**
Broadway, The. *Sand* —5E **2**
Broadwell Rd. *Wrec* —4C **26**
Brockenhurst Dri. *Yat* —2A **8**
Brockenhurst Rd. *Alder* —1A **24**
Brocklands. *Yat* —5D **28**
Bromley Ct. *Farnh* —1G **27**
Brook Av. *Farnh* —2J **23**
Brook Clo. *Ash* —5G **21**
Brook Clo. *Fleet* —3K **29**
Brook Clo. *Owl* —4H **3**
Brook Cotts. *Yat* —3E **28**
Brooke Ct. *Frim G* —1E **16**
Brookfield Rd. *Alder* —5E **20**
Brook Gdns. *F'boro* —5J **15**
Brook Ho. Farnh —3G 23
(off Fairview Gdns.)
Brookhouse Rd. *F'boro* —4J **15**
Brooklands. *Alder* —7H **19**
Brooklands Clo. *Farnh* —2G **23**
Brooklands Rd. *Farnh* —2H **23**
Brooklands Way. *Farnh* —2H **23**
Brookley Clo. *Farnh* —6B **24**
Brookly Gdns. *Fleet* —5A **14**
Brookmead Ct. *Farnh* —1E **26**
Brook Rd. *Bag* —3K **5**
Brook Rd. *Camb* —2A **10**
Brooksby Clo. *B'water* —1E **8**
Brookside. *Farnh* —3F **23**
Brookside. *Sand* —6F **3**
Brookside Pk. *F'boro* —5K **9**
Brook Trad. Est., The. *Alder* —6D **20**
Brookwood Lye Rd. *Brkwd & Wok* —7K **13**
Brookwood Rd. *F'boro* —3C **16**
Broom Acres. *Fleet* —5J **29**
Broom Acres. *Sand* —5E **2**
Broome Clo. *Yat* —2E **28**
Broom Field. *Light* —6B **6**
Broomhill. *Ews* —1A **22**
Broomhill Rd. *F'boro* —2G **15**
Broomleaf Corner. *Farnh* —7G **23**
Broomleaf Rd. *Farnh* —7G **23**
Broomrigg Rd. *Fleet* —1G **29**
Broomsquires Rd. *Bag* —3A **6**
Broom Way. *B'water* —2H **9**
Broomwood Way. *Lwr Bo* —4F **27**
Brougham Pl. *Farnh* —2E **22**
Broughton M. *Frim* —5E **10**
Browning Barracks. *Alder* —3A **20**
Browning Clo. *Camb* —2H **11**
Browning Rd. *C Crook* —7H **29**
Brownsover Rd. *F'boro* —3F **15**
Browns Wlk. *Rowl* —6C **26**
Bruneval Barracks. *Alder* —4J **19**
Brunswick Dri. *Brkwd* —7E **12**
Brunswick Rd. *Deep & Pirb*
(in two parts) —1H **17**
Bruntile Clo. *F'boro* —6C **16**
Bryanstone Clo. *C Crook* —2A **18**
Bryce Gdns. *Alder* —2B **24**
Bryn Rd. *Wrec* —3C **26**
Buchan, The. *Camb* —5F **5**
Buckhurst Rd. *Frim G* —1E **16**
Buckingham Way. *Frim* —5E **10**
Buckland Clo. *F'boro* —7B **10**
Buller Barracks. *Alder* —4B **20**
Buller Rd. *Alder* —4A **20**
Bullers Rd. *Farnh* —3H **23**
Bullfinch Clo. *Col T* —5H **3**
Buntings, The. *Farnh* —2C **26**
Bunyan's La. *Knap* —1K **13**
Burdock Clo. *Light* —5C **6**
Burford Rd. *Camb* —2A **10**
Burghead Clo. *Col T* —6G **3**
Burgoyne Rd. *Camb* —7F **5**
Burleigh Rd. *Frim* —6C **10**
Burley Way. *B'water* —7F **3**
Burlington Ct. *Alder* —7K **19**
Burlington Ct. *B'water* —3G **9**
Burne-Jones Dri. *Col T* —7G **3**
Burnet Clo. *W End* —7F **7**
Burnsall Clo. *F'boro* —1A **16**
Burns Av. *C Crook* —2A **18**
Burns Clo. *F'boro* —1J **15**
Burnside. *Fleet* —2K **29**
Burnt Hill Rd. *Wrec* —4D **26**
Burnt Hill Way. *Wrec* —5E **26**
Burnt Pollard La. *Light* —4F **7**
Burrell Rd. *Frim* —6B **10**
Burrwood Gdns. *Ash V* —4F **21**
Burton Clo. *W'sham* —1E **6**
Busk Cres. *F'boro* —4J **15**
Butler Rd. *Bag* —3A **6**
Butterfield. *Camb* —2A **10**
Buttermer Clo. *Wrec* —3C **26**
Buttermere Clo. *F'boro* —3H **15**
Buttermere Dri. *Camb* —1J **11**
Byron Av. *Camb* —3G **11**
Byron Clo. *Fleet* —3K **29**
Byron Clo. *Yat* —5D **28**
Byron Dri. *Crowt* —2E **2**
Byron Gro. *Myt* —4F **17**
Byways. *Yat* —4D **28**
Byworth Clo. *Farnh* —7C **22**
Byworth Rd. *Farnh* —7C **22**

Cabrol Rd. *F'boro* —2K **15**
Cadet Way. *C Crook* —4A **18**
Cadnam Clo. *Alder* —3B **24**
Cadogan Rd. *Alder* —1C **20**
Caernarvon. *Frim* —6E **10**
Caesar Ct. *Alder* —6H **19**
Caesars Camp Rd. *Camb* —5F **5**
Caesar's Clo. *Camb* —5E **4**
Caesars Ct. *Farnh* —3F **23**
Cairn Clo. *Camb* —3G **11**
Cairngorm Pl. *F'boro* —7H **9**
Caldwell Rd. *W'sham* —1E **6**
Calshot Way. *Frim* —7F **11**
Calthorpe Rd. *Fleet* —1H **29**
Calton Gdns. *Alder* —2B **24**
Calvert Clo. *Alder* —7C **20**
Calvin Clo. *Camb* —2G **11**
Cambrian Clo. *Camb* —1A **10**

Cambrian Rd. *F'boro* —7G **9**
Cambridge Meadows *Farnh*
—1C **26**
Cambridge Pl. *Farnh* —7F **23**
Cambridge Rd. *Alder* —6J **19**
Cambridge Rd. *Crowt* —1F **3**
Cambridge Rd. *Owl* —4H **3**
Cambridge Rd. E. *F'boro* —6B **16**
Cambridge Rd. W. *F'boro*
—6B **16**
Cambridge Wlk. *Camb* —7B **4**
Camden Wlk. *Fleet* —6B **14**
Camellia Ct. *W End* —7G **7**
Cameron Rd. *Alder* —1C **20**
Campbell Clo. *Alder* —2B **24**
Campbell Clo. *Fleet* —2H **29**
Campbell Clo. *Yat* —7C **2**
Campbell Pl. *Frim* —3E **10**
Campbell Rd. *Alder* —5K **19**
Camp Farm Rd. *Alder* —3C **20**
Campion Clo. *B'water* —3J **9**
Camp Rd. *F'boro* —7B **16**
Camus Clo. *C Crook* —6G **29**
Canada Rd. *Deep* —6J **11**
Canal Bank. *Ash V* —4F **21**
Canal Clo. *Alder* —3C **20**
Canal Cotts. *Ash V* —4F **21**
Canberra Clo. *Yat* —1D **28**
Canning Rd. *Alder* —6A **20**
Cannon Clo. *Col T* —5J **3**
Canterbury Rd. *Ash* —5F **21**
Canterbury Rd. *F'boro* —5C **16**
Carfax Av. *Tong* —1E **24**
Cargate Av. *Alder* —7K **19**
Cargate Gro. *Alder* —7K **19**
Cargate Hill. *Alder* —7J **19**
Cargate Ter. *Alder* —7J **19**
Carisbrooke. *Frim* —6E **10**
Carlinwrk Dri. *Camb* —6E **4**
Carlton Clo. *Camb* —3G **11**
Carlton Cres. *C Crook* —2A **18**
Carlyle Ct. *Crowt* —1F **3**
Carlyon Clo. *F'boro* —3B **16**
Carlyon Clo. *Myt* —3E **16**
Carmarthen Rd. *F'boro* —7K **9**
Carnival Sq. *Fleet* —2J **29**
Caroline Way. *Frim* —5E **10**
Carrick La. *Yat* —7B **2**
Carrington La. *Ash V* —7F **17**
Carshalton Rd. *Camb* —4F **5**
Carters Wlk. *Farnh* —1G **23**
Carthona Dri. *Fleet* —4J **29**
Cassino Clo. *Alder* —6A **20**
Castle Clo. *Camb* —2E **10**
Castle Ct. *Farnh* —6E **22**
Castlecraig Ct. *Col T* —6G **3**
Castle Field. *Farnh* —6E **22**
Castle Hill. *Farnh* —6E **22**
Castle Rd. *Alder* —4H **19**
Castle Rd. *Camb* —2D **10**
Castle St. *Farnh* —6E **22**
Castle St. *Fleet* —4J **29**
Castor Ct. *C Crook* —3A **18**
Castor Ct. *Yat* —2D **28**
Caswall Ride. *Camb* —1C **8**
Caswell Clo. *F'boro* —1J **15**
Catena Rise. *Light* —4B **6**
Catesby Gdns. *Yat* —4C **28**
Cavalry Ct. *Alder* —6H **19**
Cavan's Rd. *Alder* —2B **20**
Cavendish Ct. *B'water* —3G **9**
Cavendish Gdns. *C Crook*
—7H **29**
Cavendish M. *Alder* —7K **19**
Cavendish Pk. Cvn. Site. *Sand*
—7H **3**
Cavendish Rd. *Alder* —7K **19**
Cavendish Rd. *C Crook* —7H **29**
Caves Farm Clo. *Sand* —5D **2**
Cedar Av. *B'water* —1G **9**
Cedar Clo. *Alder* —1D **24**
Cedar Clo. *Bag* —2K **5**
Cedar Dri. *Fleet* —6B **14**
Cedar Gro. *Bisl* —2H **13**
Cedar La. *Frim* —6C **10**
Cedar Rd. *F'boro* —4B **16**
Cedars Clo. *Sand* —5C **2**
Cedars, The. *Fleet* —7A **14**
Cedarways. *Farnh* —3E **23**
Celandine Ct. *Yat* —2E **28**
Celery La. *Wrec* —5E **26**
Cemetery Pales. *Brkwd* —7J **13**
Cemetery Rd. *Fleet* —4H **29**
Centurion Clo. *Col T* —5G **3**
Century Way. *Pirb* —6E **12**
Ceylon Ter. *Frim G* —6J **11**
(off Crimea Rd.)

Chaffinch Clo. *Col T* —5G **3**
Chalfont Dri. *F'boro* —5B **16**
Chamber La. *Farnh* —3A **26**
Chambers Rd. *Ash V* —3G **21**
Chamomile Gdns. *F'boro* —2F **15**
Champion Way. *C Crook* —6K **29**
Chandlers La. *Yat* —2E **28**
Chandlers Rd. *Ash V* —4G **21**
Chantreys. *Fleet* —3G **29**
Chantry Ct. *Frim* —5C **10**
(off Church Rd.)
Chantry Rd. *Bag* —3J **5**
Chantrys Ct. *Farnh* —7D **22**
(off Chantrys, The)
Chantrys, The. *Farnh* —7C **22**
Chapel La. *Bag* —3J **5**
Chapel La. *F'boro & B'water*
—6J **9**
Chapel Mead. *Eve* —1A **28**
Chapel Rd. *Camb* —1A **10**
Chapel Rd. *Rowl* —6B **26**
Chapel St. *F'boro* —1C **16**
Chaplain's Hill. *Crowt* —1G **3**
Charlecote Clo. *F'boro* —4D **16**
Charlotte Clo. *Farnh* —1G **23**
Charlton Rd. *Owl* —4G **3**
Chart Ho. Rd. *Ash V* —1F **21**
Chartwell. *Farnh* —4C **26**
Chartwell. *Frim G* —6H **11**
Chartwell Gdns. *Alder* —1B **20**
Chase, The. *F'boro* —1C **16**
Chasewater Ct. *Alder* —7K **19**
Chatfield Clo. *F'boro* —5B **16**
Chatsworth Gro. *Farnh* —3C **22**
Chatsworth Heights. *Camb*
—6F **5**
Chatsworth Rd. *F'boro* —4D **16**
Chatton Row. *Bisl* —4H **13**
Chaucer Rd. *Alder* —1C **10**
Chaucer Rd. *Crowt* —1E **2**
Chaucer Rd. *F'boro* —1J **15**
Chelwood Dri. *Sand* —4C **2**
Chequers La. *Eve* —3A **28**
Cherberry Clo. *F'boro* —3A **14**
Cheriton Way. *B'water* —1G **9**
Cherrydale Rd. *Camb* —1J **11**
Cherryhill Gro. *Alder* —7J **19**
Cherry Lodge. *Alder* —7A **20**
Cherry Tree Clo. *F'boro* —2F **15**
Cherry Tree Clo. *Farnh* —6F **23**
Cherry Tree Clo. *Owl* —4G **3**
Cherry Tree Wlk. *Rowl* —7B **26**
(in two parts)
Cherrywood Rd. *F'boro* —7K **9**
Chertsey Rd. *W'sham & Chob*
—1E **6**
Chesilton Cres. *C Crook* —6K **29**
Chester Clo. *Ash* —6G **21**
Chester Rd. *Ash* —5G **21**
Chesters Rd. *Camb* —1G **11**
Chester Way. *Tong* —3E **24**
Chestnut Av. *Alder* —2D **24**
Chestnut Av. *Farnh* —7F **5**
Chestnut Av. *Farnh* —2D **26**
Chestnut Clo. *B'water* —2H **9**
Chestnut Clo. *Fleet* —3B **14**
Chestnut Ct. *Alder* —6C **20**
Chestnut Gro. *Fleet* —5A **14**
Chestnut La. *Chob* —1K **7**
Chestnut Rd. *F'boro* —2K **15**
Cheswell Gdns. *C Crook* —5H **29**
Chetwode Pl. *Alder* —2B **24**
Chetwode Ter. *Alder* —7H **19**
Cheviot Clo. *Camb* —2H **11**
Cheviot Clo. *F'boro* —7H **9**
Cheviot Dri. *Fleet* —3A **14**
Cheviot Rd. *Sand* —3C **2**
Chewter Clo. *Bag* —2A **6**
Cheylesmore Dri. *Frim* —3J **11**
Cheyne Way. *F'boro* —7J **9**
Chichester Rd. *Ash* —5F **21**
Chilham Clo. *Frim* —6E **10**
Chillingham Way. *Camb* —2B **10**
Chiltern Av. *F'boro* —3G **15**
Chiltern Clo. *C Crook* —2A **18**
Chiltern Clo. *F'boro* —3F **15**
Chiltern Farm Pk. *F'boro* —3F **15**
Chiltern Rd. *Sand* —4C **2**
Chine, The. *F'boro* —5C **26**
Chingford Av. *F'boro* —2C **16**
Chinnock Clo. *Fleet* —4J **29**
Chippendale Clo. *B'water* —3H **9**
Chive Ct. *F'boro* —3F **15**
Chobham Rd. *Frim* —4D **10**
Chobham Rd. *Knap* —5J **13**
Chrismas Av. *Alder* —7B **20**

Chrismas Pl. *Alder* —7B **20**
Christchurch Clo. *C Crook*
—7J **29**
Christchurch Dri. *B'water* —7F **3**
Christie Clo. *Light* —4D **6**
Christie Wlk. *Yat* —5E **28**
Christine Clo. *Ash* —7E **20**
Christy Est. *Alder* —6D **20**
Chudleigh Ct. *F'boro* —3A **16**
Church Av. *F'boro* —3B **16**
Church Circ. *F'boro* —5B **16**
Church Clo. *Brkwd* —7G **13**
Church Clo. *Fleet* —2J **29**
(off Branksomewood Rd.)
Church Ct. *Fleet* —2J **29**
(off Church Rd.)
Church Gro. *Fleet* —2H **29**
Church Hill. *Alder* —1B **24**
Church Hill. *Camb* —1D **10**
Churchill Av. *Alder* —1B **24**
Churchill Clo. *F'boro* —6A **10**
Churchill Cres. *F'boro* —6A **10**
Churchill Cres. *Yat* —1A **8**
Church La. *Ash* —6G **21**
Church La. *Bisl* —2H **13**
Church La. *Ews* —7A **18**
Church La. *F'boro* —3H **15**
Church La. *Rowl* —7B **26**
Church La. *Wrec* —3C **26**
Church La. E. *Alder* —7K **19**
Church La. W. *Alder* —7J **19**
Church Pas. *Farnh* —7E **22**
Church Path. *Alder* —7K **19**
Church Path. *F'boro* —3B **16**
(Farnborough Park)
Church Path. *F'boro* —7B **16**
(South Farnborough)
Church Path. *F'boro* —3H **15**
(West Heath)
Church Rd. *Alder* —2B **24**
Church Rd. *Bag* —2J **5**
Church Rd. *Fleet* —1H **29**
Church Rd. *Frim* —5C **10**
Church Rd. *Owl* —4H **3**
Church Rd. *Sand* —4C **2**
Church Rd. *W End* —6G **7**
Church Rd. E. *Crowt* —1E **2**
Church Rd. E. *F'boro* —6C **16**
Church Rd. W. *Crowt* —1E **2**
Church Rd. W. *F'boro* —6B **16**
Church St. *Alder* —6J **19**
Church St. *Crowt* —1E **2**
Church View. *Alder* —6F **21**
Church View. *Yat* —6A **2**
Clandon Ct. *F'boro* —4C **16**
Clanfield Ride. *B'water* —1G **9**
Clappers La. *Chob* —5K **7**
Clare Mead. *Rowl* —6C **26**
Claremont Av. *Camb* —1E **10**
Clarence Clo. *Alder* —6B **20**
Clarence Dri. *Camb* —6G **5**
Clarence Rd. *Fleet* —3J **29**
Clarendon Ct. *B'water* —3G **9**
Clarendon Ct. *Fleet* —2J **29**
Clarewood Dri. *Camb* —7D **4**
Clarke Cres. *Camb* —6H **3**
Clark Rd. *F'boro* —2A **16**
Clarks Hill. *Farnh* —7A **22**
Claycart Rd. *Alder* —4G **19**
(in two parts)
Claydon Gdns. *B'water* —5K **9**
Clayton Rd. *F'boro* —5J **9**
Clearsprings. *Light* —4B **6**
Clevedon Ct. *B'water* —7F **3**
Clevedon Ct. *Frim* —6F **11**
Clewborough Dri. *Camb* —7G **5**
Clews La. *Bisl* —3H **13**
Clifton Clo. *Wrec* —6D **26**
Clifton Gdns. *Frim G* —1E **16**
Clive Rd. *Alder* —7C **20**
Clockhouse Rd. *F'boro* —3A **16**
Cloisters, The. *Frim* —5C **10**
Close, The. *Col T* —5H **3**
Close, The. *Farnh* —1G **27**
Close, The. *Frim* —6C **10**
Close, The. *Light* —4B **6**
Closeworth Rd. *F'boro* —7D **16**
Clouston Rd. *F'boro* —2J **15**
Clover La. *Yat* —3C **28**
Clubhouse Rd. *Alder* —3J **19**
Club La. *Crowt* —3J **3**
Club Row. *Pirb* —6E **12**
Clumps Rd. *Lwr Bo* —6H **27**
Coach Ho. Clo. *Frim* —3E **10**
Coach Ho. Gdns. *Fleet* —1K **29**
Cobbett's La. *Yat* —1C **8**

Cobbetts Wlk. *Bisl* —2H **13**
Cobbetts Way. *Farnh* —4C **26**
Cochrane Rd. *W'sham* —1E **6**
Cock-A-Dobby. *Sand* —4D **2**
Cody Rd. *F'boro* —4J **15**
Coe Clo. *Alder* —7K **19**
Cokenor Wood. *Wrec* —4C **26**
Colbeck. *C Crook* —4A **18**
Colbred Corner. *Fleet* —3B **14**
Cold Harbour La. *F'boro* —6H **9**
Coldharbour La. *W End* —5G **7**
Coleford Bri. Rd. *Myt* —3C **16**
Coleford Clo. *Myt* —4E **16**
Coleford Paddocks. *Myt* —3E **16**
Coleman Rd. *Alder* —7C **20**
Coleridge Av. *Yat* —1B **8**
Coleridge Clo. *Crowt* —1F **3**
Coleson Hill Rd. *Wrec* —5C **26**
Coleville Rd. *F'boro* —5D **16**
College Clo. *Camb* —5C **4**
College Cres. *Col T* —5H **3**
College Ride. *Bag* —4F **5**
College Ride. *Camb* —6C **4**
College Rd. *Ash V* —5F **21**
College Rd. *Col T* —6H **3**
Collier Clo. *F'boro* —2G **15**
Collingwood. *F'boro* —5D **16**
Collingwood Grange Clo. *Camb*
—5G **5**
Collingwood Rise. *Camb* —6F **5**
Collins Gdns. *Ash* —6C **21**
Colne Way. *Ash* —7F **21**
Columbus Dri. *F'boro* —3H **15**
Colville Gdns. *Light* —5D **6**
Colwyn Clo. *Yat* —3E **28**
Combe La. *F'boro* —1K **15**
Comfrey Clo. *F'boro* —2F **15**
Commercial Rd. *Alder* —1B **24**
Commodore Ct. *F'boro* —5D **16**
Commonfields. *W End* —7G **7**
Compton Clo. *C Crook* —3A **18**
Compton Clo. *Sand* —4F **3**
Compton Rd. *C Crook* —3A **18**
Compton Way. *Farnh* —6G **23**
Conifer Clo. *C Crook* —6J **29**
Conifer Dri. *Camb* —7F **5**
Coniston Clo. *Camb* —3H **11**
Coniston Clo. *F'boro* —4H **15**
Coniston Ct. *Light* —4C **6**
Coniston Dri. *Farnh* —3D **22**
Coniston Way. *C Crook* —6H **29**
Connaught Barracks. *Alder*
—2C **20**
Connaught Clo. *Crowt* —2C **2**
Connaught Clo. *Yat* —3D **28**
Connaught Cres. *Brkwd* —7G **13**
Connaught Rd. *Alder* —6B **20**
Connaught Rd. *Bag* —2H **5**
Connaught Rd. *Brkwd* —7G **13**
Connaught Rd. *Camb* —1E **10**
Connaught Rd. *Fleet* —3J **29**
Connop Way. *Frim* —3E **10**
Consort Dri. *Camb* —6H **5**
Constable Way. *Col T* —7H **3**
Constantius Ct. *C Crook* —7H **29**
Conway Clo. *Frim* —5E **10**
Conway Dri. *F'boro* —3G **15**
Cookham Clo. *Sand* —4F **3**
Coolarne Rise. *Camb* —7F **5**
Coombe Clo. *Frim* —6C **10**
Coombe Dri. *Fleet* —6B **14**
Coombe Rd. *Yat* —2D **28**
Cooper Rd. *W'sham* —1E **6**
Cooper's Hill. *Eve* —6A **28**
Coopers Hill Dri. *Brkwd* —7D **12**
Coopers Ter. *Farnh* —6F **23**
Copelands Clo. *Camb* —2J **11**
Copenhagen Wlk. *Crowt* —1E **2**
Copped Hall Dri. *Camb* —7H **5**
Copped Hall Way. *Camb* —7H **5**
Copperfield Av. *Owl* —3N **3**
Coppice Clo. *Farnh* —3H **23**
Coppice Gdns. *Crowt* —1C **2**
Coppice Gdns. *Yat* —4E **28**
Copse Av. *Farnh* —2H **23**
Copse Clo. *Camb* —7F **5**
Copse End. *Camb* —7E **4**
Copse End. *Fleet* —3G **29**
Copse La. *C Crook* —4A **18**
Copse La. *Eve* —1C **28**
Copse, The. *F'boro* —4G **15**
Copse, The. *Rowl* —6C **26**
Copse Way. *Wrec* —4C **26**
Copthorne Dri. *Light* —4C **6**
Corbett Dri. *Light* —6A **6**
Cordelia Gdns. *Ash V* —6E **16**

Cordwalles Rd. *Camb* —5E **4**
Corfe Gdns. *Frim* —5E **10**
Corfe Way. *F'boro* —6D **16**
Coriander Clo. *F'boro* —3F **15**
Cormorant Pl. *Col T* —6H **3**
Cornbunting Clo. *Col T* —6G **3**
Cornelia Clo. *F'boro* —4G **15**
Cornfields. *Yat* —5D **28**
Cornwall Clo. *Camb* —6E **4**
Coronation Rd. *Alder* —2A **24**
Coronation Rd. *Yat* —6B **2**
Corringway. *C Crook* —2A **18**
Cotswold Clo. *F'boro* —7H **9**
Cotswold Ct. *Fleet* —2J **29**
Cotswold Rd. *Sand* —4C **2**
Cottage Gdns. *F'boro* —7J **15**
Cottrell Ct. *C Crook* —7J **29**
Cottrell Flats. *F'boro* —7C **16**
Council Cotts. *W End* —6G **7**
Courtenay Rd. *Farnh* —2A **23**
Court Gdns. *Camb* —1C **10**
Courtmoor Av. *Fleet* —4K **29**
Court Rd. *Alder* —6K **19**
Cove Rd. *F'boro* —3J **15**
Cove Rd. *Fleet* —3A **14**
Coverts Clo. *Farnh* —5H **23**
Covert, The. *F'boro* —6K **9**
Covey Clo. *F'boro* —6K **9**
Cowshot Cres. *Brkwd* —7E **12**
Coxbridge Meadows. *Farnh*
—1C **26**
Cox Grn. *Col T* —7G **3**
Coxheath Rd. *C Crook* —5H **29**
Coxmoor Clo. *C Crook* —3B **18**
Crabtree Rd. *Camb* —4A **10**
Crake Pl. *Col T* —6G **3**
Cranberry Wlk. *B'water* —3J **9**
Cranbrook Ct. *Fleet* —1K **29**
Crane Ct. *Col T* —5G **3**
Cranford Av. *C Crook* —6H **29**
Cranford Pk. Dri. *Yat* —4C **28**
Cranleigh Ct. *F'boro* —3J **15**
Cranley Pl. *Knap* —5K **13**
Cranmore Clo. *Alder* —7H **19**
Cranmore Gdns. *Alder* —7G **19**
Cranmore La. *Alder* —1G **23**
Cranmore Rd. *Myt* —3F **17**
Cranwell Gro. *Light* —5A **6**
Craven Clo. *Lwr Bo* —4F **27**
Crawford Gdns. *Camb* —1A **10**
Crawley Dri. *Camb* —1E **10**
Crawley Hill. *Camb* —1E **10**
Crawley Ridge. *Camb* —7E **4**
Crawley Wood Clo. *Camb*
—1E **10**
Credon Clo. *F'boro* —2J **15**
Cree's Meadow. *W'sham* —2D **6**
Crerar Clo. *F'boro* —4G **15**
Crescent La. *Ash V* —3G **21**
Crescent, The. *Crook V* —5F **29**
Crescent, The. *B'water* —2G **9**
Crescent, The. *F'boro* —4B **16**
Crescent, The. *Farnh* —1G **23**
Cricketers La. *W'sham* —1E **6**
Cricket Field Gro. *Crowt* —1G **3**
Cricket Hill. *Yat* —3B **8**
Cricket Hill La. *Yat* —3A **8**
Cricket La. *Lwr Bo* —4G **27**
Crimea Rd. *Alder* —6A **20**
(in two parts)
Crimea Rd. *Deep* —6J **11**
Cripley Rd. *F'boro* —1G **15**
Crofters Clo. *Sand* —5D **2**
Croft La. *Yat* —2E **28**
Croft Rd. *Alder* —1A **24**
Croft, The. *Fleet* —3G **29**
Croft, The. *Yat* —6A **2**
Croft Way. *Frim* —4E **10**
Cromwell Rd. *Camb* —6C **4**
Cromwell Way. *F'boro* —7A **10**
Crondall Ct. *Camb* —2A **10**
Crondall End. *Yat* —2E **28**
Crondall La. *Farnh* —7A **22**
Crondall Rd. *Crook V* —5F **29**
Crookham Ct. *C Crook* —5H **29**
Crooksbury Rd. *Farnh* —6A **24**
Crosby Gdns. *Yat* —2C **28**
Crosby Hill Dri. *Camb* —6E **4**
Crosby Way. *Farnh* —1D **26**
Cross Gdns. *Frim G* —1E **16**
Cross La. *Frim G* —1E **16**
Cross Rd. *Ash V* —5G **21**
Cross St. *Alder* —6K **19**
Cross St. *F'boro* —7B **16**
Crossways. *Crook V* —5F **29**
Crossways. *Alder* —7B **20**
Crown Dri. *Bad L* —4K **23**

Crown Gdns. *Fleet* —7A **14**
Crown La. *Bad L* —4J **23**
Crown Pl. *Owl* —4H **3**
Crowthorne Rd. *Sand* —5D **2**
Croyde Clo. *F'boro* —1K **15**
Cruikshank Lea. *Col T* —7H **3**
Crundwell Ct. *Farnh* —6G **23**
Cubitt Way. *W End* —7E **6**
Cuckoo La. *W End* —7E **6**
Cuckoo Vale. *W End* —7E **6**
Cullen Clo. *Yat* —4E **28**
Cullens M. *Alder* —7K **19**
Culverlands Cres. *Ash* —5E **20**
Culver Rd. *Owl* —4G **3**
Cumberland Av. *Camb* —1H **11**
Cumbria Clo. *F'boro* —6D **16**
Cunnington Rd. *F'boro* —5D **16**
Curley Hill Rd. *Light* —6K **5**
Curly Bri. Clo. *F'boro* —6J **9**
Curtis Clo. *Camb* —6H **5**
Curtis Ct. *C Crook* —6K **29**
Curzon Dri. *C Crook* —3A **18**
Cuthbert Rd. *Ash V* —2G **21**
Cutts Rd. *Alder* —1C **20**
Cygnet Ct. *Farnh* —4A **14**
Cypress Dri. *Fleet* —6C **14**
Cypress Gro. *Ash V* —1E **20**
Cypress Way. *B'water* —1E **8**
Cyprus Rd. *Deep* —6J **11**

Daffodil Dri. *Bisl* —3H **13**
Dale Clo. *Wrec* —3C **26**
Dale Gdns. *Sand* —5D **2**
Dalley Ct. *Sand* —6G **3**
Dalston Clo. *Camb* —3J **11**
Damask Clo. *W End* —7F **7**
Danebury Wlk. *Frim* —6E **10**
Danesbury Wlk. *Frim* —6E **10**
Danvers Dri. *C Crook* —7H **29**
Daphne Dri. *C Crook* —7H **29**
Darby Grn. La. *B'water* —1D **8**
Darby Grn. Rd. *B'water* —1D **8**
Dark La. *W'sham* —1C **6**
Darleydale Clo. *Owl* —3G **3**
Darracott Clo. *Camb* —5G **5**
Darset Av. *Fleet* —1K **29**
Darvills La. *Farnh* —7G **23**
Darwin Gro. *Alder* —5B **20**
Davis Gdns. *Col T* —6H **3**
Dawnay Rd. *Camb* —5A **4**
Dawsmere Clo. *Camb* —1H **11**
Deadbrook La. *Alder* —5C **20**
Dean Pde. *Camb* —5E **4**
Deans Ct. *W'sham* —2E **6**
Decoutiere Clo. *C Crook* —6H **29**
Deedman Clo. *Ash* —6F **21**
Deepcut Bri. Rd. *Deep* —1H **17**
Deepdene. *Lwr Bo* —4G **27**
Deep Well Dri. *Camb* —1D **10**
Deer Leap. *Light* —5B **6**
Deer Rock Rd. *Camb* —6E **4**
Dell Gro. *Frim* —4E **10**
Dell, The. *Farnh* —2G **23**
Dell, The. *Yat* —4E **28**
Delville Clo. *F'boro* —4G **15**
Dene Clo. *Lwr Bo* —4H **27**
Dene La. *Lwr Bo* —4G **27**
Dene La. W. *Lwr Bo* —5H **27**
Dene Rd. *F'boro* —4J **15**
Dene Wlk. *Lwr Bo* —4G **27**
Denham Dri. *Yat* —1A **8**
Denly Way. *Light* —4D **6**
Denman Clo. *Fleet* —6B **14**
Denmark Sq. *Alder* —6C **20**
Denmark St. *Alder* —6C **20**
Denning Clo. *Fleet* —4H **29**
Dennistoun Clo. *Camb* —1C **10**
Denton Way. *Frim* —4C **10**
Derek Horn Ct. *Camb* —7A **4**
Derry Rd. *F'boro* —3A **14**
Derwent Av. *Ash V* —4E **20**
Derwent Clo. *F'boro* —3H **15**
Derwent Clo. *Farnh* —3D **22**
Derwent Rd. *Light* —5C **6**
Dettingen Barracks. *Deep* —5J **11**
Dettingen Rd. *Deep* —6K **11**
Devil's Highway, The. *Crowt* —1B **2**
Devon Clo. *Col T* —6G **3**
Devon Clo. *Fleet* —3A **14**
Devonshire Dri. *Camb* —6E **4**
Devonshire Pl. *Alder* —7J **19**
Dexter Way. *Fleet* —3A **14**
Diamond Hill. *Camb* —6D **4**

Diamond Ridge. *Camb* —6C **4**
Diana Cotts. *Seale* —5K **25**
Dickens Way. *Yat* —4E **28**
Dinorben Av. *Fleet* —4H **29**
Dinorben Beeches. *Fleet* —4H **29**
Dinorben Clo. *Fleet* —4H **29**
Dippenhall Rd. *Farnh* —7A **22**
Dogflud Way. *Farnh* —6F **23**
Dollis Dri. *Farnh* —6G **23**
Doman Rd. *Camb* —2J **9**
Dominica Ter. *Frim G* —6J **11**
(off Cyprus Rd.)
Donnafields. *Bisl* —3H **13**
Donnington Clo. *Camb* —2A **10**
Dora's Grn. La. *Ews* —2A **22**
Dorcas Ct. *Camb* —3A **10**
Doreen Clo. *F'boro* —7H **9**
Dorking Vs. *Knap* —4K **13**
Dormer Clo. *Crowt* —1D **2**
Dorset Ct. *Camb* —5E **4**
Dorset Rd. *Ash V* —3G **21**
Douai Clo. *F'boro* —3B **16**
Douglas Gro. *Lwr Bo* —6F **23**
Douglas Pl. *F'boro* —2K **15**
Dovedale Clo. *Owl* —3G **3**
Downing St. *Farnh* —7E **22**
Doyle Gdns. *Yat* —4E **28**
Dragoon Ct. *Alder* —6H **19**
Drake Av. *Myt* —6F **17**
Drayhorse Dri. *Bag* —3K **5**
Drovers End. *Fleet* —1J **29**
Drovers Way. *Ash* —7H **21**
Drovers Way. *Farnh* —3D **22**
Dryden Rd. *F'boro* —1J **15**
Duchess of Kent Barracks. *Alder* —5A **20**
Dudley Ct. *C Crook* —6K **29**
Duke of Connaught's Rd. *Alder* —1B **20**
(in two parts)
Duke of Cornwall Av. *Camb* —4C **4**
Dukes Clo. *Farnh* —3D **22**
Dukes Mead. *Fleet* —2B **29**
Dukes Pk. *Alder* —2C **20**
Duke's Ride. *Crowt* —1B **2**
Duke's Ter. *Alder* —5A **20**
Dukes Wlk. *Farnh* —3D **22**
Dumas Clo. *Yat* —4E **28**
Dunbar Rd. *Frim* —7E **10**
Dundaff Clo. *Camb* —1F **11**
Dungells Farm Clo. *Yat* —2A **8**
Dungells La. *Yat* —5E **28**
Dunmow Hill. *Fleet* —1K **29**
Dunsmore Gdns. *Yat* —4C **28**
Dunstall Pk. *F'boro* —7K **9**
Durham Rd. *Owl* —3H **3**
Durnsford Av. *Fleet* —4K **29**
Duval Pl. *Bag* —2K **5**

Eagles Nest. *Sand* —4D **2**
Earlsbourne. *C Crook* —4A **18**
Earls Gro. *Camb* —7D **4**
East Av. *Fleet* —3A **14**
Eastern La. *Crowt* —1J **3**
Eastern Rd. *Alder* —6C **20**
East Grn. *B'water* —2F **9**
Eastmead. *F'boro* —3A **16**
East Ring. *Tong* —2F **25**
E. Station Rd. *Alder* —7A **20**
East St. *Farnh* —6F **23**
Eaton Rd. *Camb* —2A **10**
Echo Barn La. *Wrec* —6B **26**
Eddy Rd. *Alder* —7B **20**
Edgbarrow Ct. *Crowt* —2D **2**
Edgbarrow Rise. *Sand* —3D **2**
Edgcumbe Pk. Dri. *Crowt* —1D **2**
Edgedale Clo. *Crowt* —1E **2**
Edgemoor Rd. *Frim* —3H **11**
Edinburgh Clo. *Ash V* —3F **21**
Edinburgh Dri. *Alder* —6J **19**
(off Queen Elizabeth Dri.)
Edney Clo. *C Crook* —2A **18**
Edward Av. *Camb* —1K **9**
Edward Rd. *Farnh* —3F **27**
Edward Rd. *W'sham* —1E **6**
Edward St. *Alder* —6J **19**
Eelmoor Plain Rd. *Alder* —4G **19**
Eelmoor Rd. *Alder* —3G **19**
Eelmoor Rd. *F'boro* —6E **14**
Egerton Rd. *Col T* —7J **3**
Eggars Ct. *Alder* —7F **19**
Eggar's Hill. *Alder* —1K **23**
Eggleton Clo. *C Crook* —6H **29**
Eland Rd. *Alder* —7J **19**
Elcho Rd. *Pirb* —6D **12**
Eldergrove. *F'boro* —5D **16**

Elder Rd. *Bisl* —2H **13**
Eldon Dri. *Lwr Bo* —5G **27**
Elgin Way. *Frim* —6E **10**
Eliot Clo. *Camb* —6G **5**
Elizabeth Av. *Bag* —3A **6**
Elizabeth Ct. *Alder* —6J **19**
(off Queen Elizabeth Dri.)
Elleray Ct. *Ash V* —3F **21**
Elles Rd. *F'boro* —6K **29**
Elles Rd. *F'boro* —5H **15**
Elliott Pk. Ind. Est. *Alder* —6D **20**
Ellison Way. *Tong* —2E **24**
Elm Bank. *Yat* —2E **28**
Elm Ct. *Sand* —3H **3**
Elm Cres. *Farnh* —2G **23**
Elmcroft Clo. *Frim G* —7E **10**
Elm Gro. *Bisl* —3H **13**
Elm Gro. *Farnh* —2F **23**
Elmgrove Rd. *F'boro* —3A **16**
Elm Hill. *Norm* —5K **21**
Elm La. *Tong* —1E **24**
Elm Pl. *Alder* —1B **24**
Elm Rd. *Farnh* —2G **23**
Elmsleigh Rd. *F'boro* —3J **15**
Elms Rd. *Alder* —7K **19**
Elms Rd. *Fleet* —6B **14**
Elms, The. *B'water* —2G **9**
Elms, The. *Tong* —1E **24**
Elm View. *Ash* —5G **21**
Elsenwood Cres. *Camb* —6F **5**
Elsenwood Dri. *Camb* —6F **5**
Elsley Clo. *Frim G* —1E **16**
Elstead Rd. *Seale* —4E **25**
Elston Dri. *Alder* —1B **24**
Elston Rd. *Alder* —1B **24**
Elvetham Clo. *Fleet* —1K **29**
Elvetham Pl. *Fleet* —1H **29**
Elvetham Rd. *Fleet* —1G **29**
Ely Clo. *Frim* —7F **11**
Emerson St. *Crowt* —1E **2**
Empress Av. *F'boro* —2H **15**
Enfield Rd. *Ash V* —3G **21**
Englefield Rd. *Knap* —4K **13**
Englesfield. *Camb* —1H **11**
Ennerdale Gro. *Farnh* —3D **22**
Enterprise Ind. Est. *Ash V* —1E **20**
Epsom Clo. *Camb* —5B **4**
Erica Clo. *W End* —7F **7**
Ernest Clo. *Lwr Bo* —4E **26**
Esher Rd. *Camb* —4F **5**
Eskdale Way. *Camb* —2J **11**
Essex Clo. *Frim* —7F **11**
Eton Pl. *Farnh* —2E **22**
Evelyn Av. *Alder* —1A **24**
Evelyn Wood's Rd. *Alder* —1B **20**
Evenlode Way. *Sand* —5F **3**
Everall Pk. *Farnh* —1F **27**
Everest Rd. *Camb* —5C **4**
Evergreen Rd. *Frim* —4E **10**
Eversley Rd. *Yat* —2C **28**
Evesham Wlk. *Owl* —4G **3**
Ewins Clo. *Ash* —6F **21**
Ewshot La. *C Crook & Ews* —7J **29**
(in two parts)
Exeter Gdns. *Yat* —2D **28**
Exeter Rd. *Ash* —5F **21**

Fairacres. *Rowl* —6C **26**
Fairfax Rd. *F'boro* —1H **15**
Fairfield Dri. *Frim* —3D **10**
Fairfield Rd. *Lwr Bo* —4H **27**
Fairfield, The. *Farnh* —7F **23**
(in two parts)
Fairholme Gdns. *Farnh* —1F **27**
Fairland Clo. *Fleet* —7A **14**
Fairmead. *Col T* —6H **3**
Fairmile. *Fleet* —5J **29**
Fair View Gdns. *Farnh* —3G **23**
Fairview Rd. *Ash* —5G **21**
Fairway Heights. *Camb* —7G **5**
Fairway, The. *Camb* —3F **11**
Fairway, The. *F'boro* —7E **14**
Fairway, The. *Farnh* —2G **23**
Fakenham Way. *Owl* —4G **3**
Falaise Clo. *Alder* —6A **20**
Falcon Clo. *Light* —5A **6**
Falcon Ct. *Camb* —5C **10**
Falcon Way. *Yat* —3D **28**
Falkland Clo. *F'boro* —7D **16**
Falkner Ct. *Farnh* —7F **23**
Falkner Rd. *Farnh* —7E **22**
Falkners Clo. *Fleet* —3B **14**
Fallowfield. *Fleet* —3B **14**

Fallowfield. *Yat* —2D **28**
Falmouth Clo. *Camb* —2F **11**
Faraday Rd. *F'boro* —1B **16**
Farcrosse Clo. *Sand* —5F **3**
Fareham Dri. *Yat* —2D **28**
Faringdon Clo. *Sand* —4F **3**
Farley Ct. *F'boro* —5C **16**
Farm Clo. *Yat* —1A **8**
Farm Ct. *Frim* —4E **10**
Farm Dri. *Fleet* —3A **14**
Farm Rd. *Alder* —5D **20**
Farm Rd. *Frim* —4D **10**
Farm View. *Yat* —1A **8**
Farm Wlk. *Ash* —1H **25**
Farnborough Aerospace Pk. *F'boro* —7J **15**
Farnborough Bus. Pk. *F'boro* —5K **15**
Farnborough Ga. *F'boro* —7B **10**
Farnborough Rd. *F'boro* —1C **16**
Farnborough Rd. *Farnh & Alder* —1G **23**
Farnborough St. *F'boro* —1C **16**
Farnham Bus. Cen. *Farnh* —6F **23**
Farnham Bus. Pk. *Farnh* —1E **26**
Farnham By-Pass. *Farnh* —2C **26**
Farnham Clo. *B'water* —3E **22**
Farnham Pk. Dri. *Farnh* —3E **22**
Farnham Rd. *Ews* —2A **22**
Farnham Rd. *Fleet* —7C **14**
Farnham Rd. *Holt P* —6A **26**
Farnham Trad. Est. *Farnh* —5J **23**
Farrell Clo. *Camb* —3B **10**
Faulkner Pl. *Bag* —1K **5**
Faversham Rd. *Owl* —4G **3**
Felbridge Clo. *Frim* —4E **10**
Fellow Grn. *W End* —7G **7**
Fellow Grn. Rd. *W End* —7G **7**
Fellows Rd. *F'boro* —7C **10**
Fennel Clo. *F'boro* —3E **14**
Fennscombe Ct. *W End* —7F **7**
Fenns La. *W End* —7F **7**
Fenn's Yd. *Farnh* —7E **22**
Ferbies. *Fleet* —5K **29**
Fernbrae Clo. *Rowl* —7E **26**
Fern Clo. *Frim* —3H **11**
Fern Ct. *Ash* —7E **20**
Ferndale Rd. *C Crook* —7J **29**
Ferndown Gdns. *F'boro* —3H **15**
Fern Dri. *C Crook* —5H **29**
Fernhill Clo. *B'water* —5J **9**
Fernhill Clo. *Farnh* —3E **22**
Fernhill La. *B'water* —5H **9**
Fernhill La. *Farnh* —3E **22**
Fernhill Rd. *B'water & Farn* —4H **9**
Fernhill Wlk. *B'water* —5J **9**
Ferniehurst. *Camb* —2E **10**
Fernleigh Rise. *Deep* —7H **11**
Ferns Mead. *Farnh* —1E **26**
Ferns, The. *Farnh* —2E **23**
Field End. *Farnh* —5J **23**
Field End. *W End* —6H **7**
Fieldfare Av. *Yat* —3D **28**
Fielding Gdns. *Crowt* —1E **2**
Fielding Rd. *Col T* —5H **3**
Field La. *Frim* —5C **10**
Field Path. *F'boro* —5J **9**
Field Rd. *F'boro* —5J **9**
Field Stores App. *Alder* —5B **20**
Field Way. *Alder* —5D **20**
Fieldway. *Fleet* —3G **29**
Field Way. *Tong* —2E **24**
Fifield La. *Frim* —7F **27**
Fincham End Dri. *Crowt* —1C **2**
Finch Clo. *Knap* —4K **13**
Findhorn Clo. *Col T* —6G **3**
Findings, The. *F'boro* —6H **9**
Finney Dri. *W'sham* —1E **6**
Fintry Pl. *F'boro* —7H **9**
Fintry Wlk. *F'boro* —7H **9**
Fir Acre Rd. *Ash V* —2E **20**
Fir Clo. *Fleet* —2J **29**
Fircroft. *Fleet* —2J **29**
Fir Dri. *B'water* —3G **9**
Fire Thorn Clo. *Fleet* —4K **29**
Firfield Rd. *Farnh* —3D **26**
Firglen Dri. *Yat* —6A **2**
Firgrove Ct. *F'boro* —4H **15**
Firgrove Ct. *Farnh* —1F **27**
Firgrove Hill. *Farnh* —1F **27**
Firgrove Pde. *F'boro* —3A **16**
Firgrove Rd. *Eve & Yat* —3B **28**
Firgrove Rd. *F'boro* —3A **16**

Firlands Av. *Camb* —1C **10**
Firs Clo. *F'boro* —5B **16**
Firs, The. *Bisl* —3H **13**
Fir Tree All. *Alder* —6K **19**
(off Victoria Rd.)
Firtree Clo. *Sand* —4C **2**
Fir Tree Way. *Fleet* —7A **14**
Firwood Dri. *Camb* —1B **10**
Fishermen's Clo. *Alder* —3D **20**
Fiske Ct. *Yat* —7B **2**
Fitzroy Rd. *Fleet* —1G **29**
Flats, The. *B'water* —2E **8**
Fleet Bus. Pk. *C Crook* —4A **18**
Fleet Rd. *B'stoke* —1F **29**
Fleet Rd. *F'boro & Alder* —1D **18**
Fleet Rd. *Fleet & Farn* —4C **14**
(Cove Rd.)
Fleet Rd. *Fleet* —2D **29**
(Reading Rd. N.)
Fleming Clo. *F'boro* —1C **16**
Flexlands La. *W End* —4J **7**
Florence Clo. *Yat* —3E **28**
Florence Rd. *Col T* —6G **3**
Florence Rd. *Fleet* —2A **18**
Folly Clo. *Fleet* —4K **29**
Follyhatch La. *Ash* —5H **21**
Folly Hill. *Farnh* —3D **22**
Folly La. N. *Farnh* —2E **22**
Folly La. S. *Farnh* —3E **22**
Folly, The. *Light* —6C **6**
Forbes Chase. *Col T* —6G **3**
Ford La. *Wrec* —4E **26**
Ford Rd. *Bisl* —1F **13**
Ford Rd. *Chob* —4K **7**
Foreman Pk. *Ash* —6G **21**
Foreman Rd. *Ash* —7G **21**
Forest Dean. *Fleet* —3B **14**
Forest Dri. *Lwr Bo* —6F **27**
Forest End. *Fleet* —5J **29**
Forest End. *Sand* —4C **2**
Forest End Rd. *Sand* —4C **2**
Foresters Way. *Crowt* —2J **3**
Forest Glade. *Rowl* —7A **26**
Forest Hills. *Camb* —2A **10**
Forest Rd. *Crowt* —1F **3**
Forge Clo. *Farnh* —6G **23**
Forge La. *Alder* —2J **19**
Forth Clo. *F'boro* —1G **15**
Fort Narrien. *Col T* —7H **3**
Fortrose Clo. *Col T* —6G **3**
Fosseway. *Crowt* —1C **2**
Fossewood Dri. *Camb* —5C **4**
Fosters La. *Knap* —4K **13**
Fouracre Way. *Alder* —7J **19**
Fowler Rd. *F'boro* —4J **15**
Fox Covert. *Light* —5B **6**
Foxcroft. *C Crook* —6K **29**
Foxdown Clo. *Camb* —1B **10**
Fox Dri. *Yat* —6A **2**
Fox Heath. *F'boro* —4F **15**
Foxhill Cres. *Camb* —5G **5**
Fox Hills La. *Ash* —5H **21**
Foxhurst Rd. *Ash V* —3F **21**
Fox La. *Eve X* —1B **28**
Foxley Clo. *B'water* —1F **9**
Fox Rd. *Lwr Bo* —3F **27**
Fox Way. *Ews* —2A **22**
Foxwood. *Fleet* —4B **14**
Fox Yd. *Farnh* —7E **22**
Foye La. *C Crook* —6K **29**
France Hill Dri. *Camb* —1B **10**
Francis Way. *Camb* —2H **11**
Fraser Mead. *Col T* —7H **3**
Freelands Dri. *C Crook* —6H **29**
Freemantle Clo. *Bag* —1K **5**
Freemantle Rd. *Bag* —2K **5**
Freesia Dri. *Bisl* —3H **13**
French Gdns. *B'water* —2G **9**
Frenchmans Creek. *C Crook* —7H **29**
Frensham Av. *Fleet* —6B **14**
Frensham Clo. *Yat* —3D **28**
Frensham Heights Rd. *Rowl* —7D **26**
Frensham Rd. *Farnh & Bourne* —3F **27**
Frensham Vale. *Lwr Bo* —6E **26**
Frere Av. *Farnh* —4H **29**
Freshwood Dri. *Yat* —3D **28**
Friars Field. *Farnh* —6E **22**
Friend Av. *Alder* —7C **20**
Friesian Clo. *Fleet* —3A **14**
Frimley Bus. Pk. *Frim* —6B **10**
Frimley By-Pass. *Frim* —6B **10**
Frimley Grn. Rd. *Frim* —6D **10**
Frimley Gro. Gdns. *Frim* —5C **10**

Frimley Hall Dri.—High St. Sandhurst,

Frimley Hall Dri. *Camb* —7E **4**
Frimley High St. *Frim* —6B **10**
Frimley Rd. *Ash V* —6F **17**
Frimley Rd. *Camb & Frim* —1K **9**
Frith Hill Rd. *Frim* —5F **11**
Frodsham Way. *Owl* —3H **3**
Frogmore Ct. *B'water* —2F **9**
Frogmore Gro. *B'water* —2F **9**
Frogmore Pk. Dri. *B'water* —2F **9**
Frogmore Rd. *B'water* —1E **8**
Frome Clo. *F'boro* —1G **15**
Fromow Gdns. *W'sham* —1E **6**
Fry's Acre. *Ash* —5F **21**
Fry's La. *Yat* —6B **2**
Fuchsia Way. *W End* —7F **7**
Fugelmere Rd. *Fleet* —5B **14**
Fugelmere Wlk. *Fleet* —5B **14**
Fullers Rd. *Rowl* —6A **26**
Furse Clo. *Camb* —2H **11**
Further Vell-Mead. *C Crook* —7H **29**
Furze Clo. *Ash V* —7F **17**
Furze Hill. *Farnh* —6C **24**
Furze Hill Cres. *Crowt* —1F **3**
Fyfield Clo. *B'water* —1G **9**

Gable End. *F'boro* —3A **16**
Gables Clo. *Ash V* —3F **21**
Gables Clo. *F'boro* —3K **15**
Gables Rd. *C Crook* —7J **29**
Gabriel Dri. *Camb* —2G **11**
Gaffney Clo. *Alder* —1C **20**
Gainsborough Clo. *Camb* —6E **4**
Gainsborough Clo. *F'boro* —5C **16**
Gainsborough Ct. *Fleet* —2K **29**
Gale Dri. *Light* —4B **6**
Gallery Rd. *Pirb* —6E **12**
Gallop, The. *Yat* —6A **2**
Galloway Clo. *Fleet* —3B **14**
Gallwey Rd. *Alder* —5A **20**
Gally Hill Rd. *C Crook* —6H **29**
Galway Rd. *Yat* —5E **28**
Gapemouth Rd. *Pirb* —2J **17**
Garbetts Way. *Tong* —3E **24**
Garden Clo. *F'boro* —4H **15**
Gardener's Hill Rd. *Wrec* —5E **26**
Gardenia Dri. *W End* —7G **7**
Gardens, The. *Tong* —2E **24**
Garfield Rd. *Camb* —1B **10**
Garnet Field. *Yat* —4C **28**
Garrick Way. *Frim G* —7D **10**
Garth Clo. *Farnh* —3D **26**
Garth, The. *Ash* —7E **20**
Garth, The. *F'boro* —3C **16**
George Gdns. *Alder* —2B **24**
Georgeham Rd. *Owl* —3G **3**
George Rd. *Fleet* —6A **14**
George St. *Pirb* —7B **12**
Georgian Clo. *Camb* —6D **4**
Georgina Ct. *Fleet* —2K **29**
Germander Dri. *Bisl* —2H **13**
Gibbet La. *Camb* —5F **5**
Gibbons Clo. *Sand* —5F **3**
Gibbs Way. *Yat* —5D **28**
Gibraltar Barracks. *B'water* —4B **8**
Giffard Dri. *F'boro* —2J **15**
Giffards Meadow. *Farnh* —1H **27**
Gilbert Rd. *Camb* —5B **10**
Gillian Av. *Alder* —1B **24**
Gillian Clo. *Alder* —1C **24**
Girton Clo. *Owl* —4H **3**
Glade, The. *Farnh* —2G **23**
Gladiator Way. *F'boro* —7K **15**
Glamis Clo. *Frim* —7E **10**
Glassonby Wlk. *Camb* —1H **11**
Glebe Clo. *Light* —4D **6**
Glebe Ct. *Fleet* —2J **29**
Glebeland Rd. *Camb* —2J **9**
Glebe Rd. *F'boro* —2J **15**
Glebe, The. *B'water* —2H **9**
Glenavon Gdns. *Yat* —2A **8**
Glencoe Clo. *Frim* —6F **11**
Glendale Pk. *Fleet* —1G **29**
Gleneagles Dri. *F'boro* —4F **15**
Glenhurst Clo. *B'water* —2H **9**
Gleninnes. *Col T* —4J **3**
Glenmount Rd. *Myt* —5F **17**
Glen Rd. *Fleet* —3J **29**
Globe Farm La. *B'water* —1E **8**
Glorney Mead. *Bad L* —3K **23**
Gloucester Clo. *Frim G* —1D **16**
Gloucester Gdns. *Bag* —2K **5**
Gloucester Rd. *Alder* —2B **24**
Gloucester Rd. *Bag* —2K **5**
Glynswood. *Camb* —3E **10**
Glynswood. *Wrec* —6D **26**
Goddards La. *Camb* —3A **10**
Goldcrest Clo. *Yat* —3D **28**
Goldfinch Clo. *Alder* —1J **23**
Gold Hill. *Lwr Bo* —4F **27**
Goldney Rd. *Camb* —2G **11**
Goldsmith Way. *Crowt* —1E **2**
Golf Dri. *Camb* —2E **10**
Gondreville Gdns. *C Crook* —7H **29**
Gong Hill. *Bourne* —7G **27**
Gong Hill Dri. *Bourne* —6G **27**
Goodden Cres. *F'boro* —4J **15**
Goodwood Clo. *Camb* —5B **4**
Goodwood Pl. *F'boro* —4D **16**
Gordon Av. *Camb* —2A **10**
Gordon Av. *C Crook* —2A **18**
Gordon Ct. *Camb* —1B **10**
Gordon Cres. *Camb* —2B **10**
Gordon Rd. *Alder* —7K **19**
(in two parts)
Gordon Rd. *Camb* —2B **10**
Gordon Rd. *Crowt* —2G **3**
Gordon Rd. *F'boro* —7C **16**
(in two parts)
Gordon Wlk. *Yat* —1B **8**
Gorse Bank. *Light* —6B **6**
Gorse Clo. *Wrec* —4D **26**
Gorselands. *Farnh* —2F **23**
Gorselands. *Yat* —5E **28**
Gorselands Clo. *Ash V* —3F **21**
Gorse La. *Wrec* —4E **26**
Gorse Path. *Wrec* —4D **26**
Gorse Rd. *Frim* —4D **10**
Gorse Way. *Fleet* —4K **29**
Gort Clo. *Alder* —1D **20**
Gosden Rd. *W End* —7G **7**
Gosnell Clo. *Frim* —3J **11**
Gough Rd. *Fleet* —1H **29**
Gough's Meadow. *Sand* —6E **2**
Government Ho. Rd. *Alder* —7K **15**
Government Rd. *Alder* —4C **20**
Governor's Rd. *Col T* —7J **3**
Gower Pk. *Col T* —6G **3**
Grace Bennett Clo. *F'boro* —7K **9**
Grace Reynolds Wlk. *Camb* —7C **4**
Graham Rd. *W'sham* —1D **6**
Grampian Rd. *Sand* —3D **2**
Grand Av. *Camb* —7B **4**
Grange Est. *C Crook* —6J **29**
Grange Farm Rd. *Ash* —5F **21**
Granger Ho. *F'boro* —4J **15**
Grange Rd. *Ash* —6G **21**
Grange Rd. *Camb* —1D **10**
Grange Rd. *C Crook* —6J **29**
Grange Rd. *F'boro* —7A **10**
Grange Rd. *Tong* —4C **24**
Grantham Clo. *Owl* —4H **3**
Grantley Ct. *Farnh* —4C **26**
Grantley Dri. *Fleet* —4J **29**
Grant Rd. *Crowt* —2F **3**
Grasmere Rd. *F'boro* —4H **15**
Grasmere Rd. *Farnh* —3D **22**
Grasmere Rd. *Light* —4C **6**
Gravel Rd. *C Crook* —2A **18**
Gravel Rd. *F'boro* —7C **16**
Gravel Rd. *Farnh* —2E **22**
Grayshot Dri. *B'water* —1F **9**
Grayswood Dri. *Myt* —6F **17**
Gt. Austins. *Farnh* —2G **27**
Gt. Austins Ho. *Farnh* —2H **27**
Greatfield Clo. *F'boro* —6A **10**
Greatfield Rd. *F'boro* —6K **9**
Green Acre. *Alder* —7J **19**
Green Acres. *Runf* —7B **24**
Greenbank Way. *Camb* —4C **10**
Greencroft. *F'boro* —3A **16**
Green End. *Yat* —6A **2**
Green Farm Rd. *Bag* —2A **6**
Greenfield. *Farnh* —3D **26**
Greenfield Rd. *Farnh* —3C **26**
Green Glades. *C Crook* —6J **29**
Greenhaven. *Yat* —4D **28**
Greenhill Clo. *Camb* —7H **5**
Greenhill Clo. *Farnh* —3D **26**
Green Hill Rd. *Camb* —7H **5**
Greenhill Rd. *Farnh* —3G **27**
Greenhills. *Farnh* —2H **27**
Greenhill Way. *Farnh* —4D **26**
Greenholme. *Camb* —1J **11**
Greenlands Rd. *Camb* —5A **10**
Green La. *Bad L* —3J **23**
Green La. *Bag* —3A **6**
Green La. *B'water* —2H **9**
Green La. *Farnh* —2D **26**
Green La. *Frogm* —2E **8**
Green La. *Sand* —6F **3**
Green La. *Yat* —3D **28**
Green La. Clo. *Camb* —6B **4**
Green La. Cotts. *Farnh* —4J **23**
Green La. E. *Norm* —1K **25**
Green La. W. *Alder* —1K **25**
Greenleas. *Frim* —4D **10**
Greenleas Clo. *Yat* —2E **28**
Green Leys. *C Crook* —7J **29**
Green's School La. *F'boro* —3K **15**
Green, The. *Bad L* —4K **23**
Green, The. *B'water* —2F **9**
Green, The. *Farnh* —3F **23**
Green, The. *Frim G* —1E **16**
Green, The. *Seale* —7D **24**
Green, The. *Yat* —3D **28**
Green Way. *Alder* —5D **20**
Greenways. *Fleet* —5J **29**
Greenways. *Sand* —4E **2**
Greenwood Rd. *Pirb* —7C **12**
Grenadier Rd. *Ash V* —4G **21**
Grenadiers Way. *F'boro* —4F **15**
Grenville Dri. *C Crook* —5H **29**
Grenville Gdns. *Frim G* —1D **16**
Gresham Ind. Est. *Alder* —6D **20**
Gresham Way. *Frim G* —1D **16**
Greyfriars Dri. *Bisl* —2H **13**
Greyhound Clo. *Ash* —7E **20**
Greys Ct. *Alder* —6H **19**
Greystead Pk. *Wrec* —5B **26**
Greystoke Ct. *Crowt* —1D **2**
Grieve Clo. *Tong* —2D **24**
Griffon Clo. *F'boro* —4G **15**
Grindstone Cres. *Knap* —5J **13**
Grosvenor Ct. *B'water* —3G **9**
Grosvenor Rd. *Alder* —6K **19**
Grove Bell Ind. Est. *Wrec* —3C **26**
Grove Cross Rd. *Frim* —5C **10**
Grove End. *Bag* —1A **6**
Grove End Rd. *Farnh* —3E **26**
Grove Farm Cvn. Site. *Myt* —6E **16**
Grovefields Av. *Frim* —5C **10**
Grovelands. *Lwr Bo* —3H **27**
Grove Rd. *Ash V* —4F **21**
Grove Rd. *Camb* —1E **10**
Grove Rd. *C Crook* —3A **18**
Grove, The. *Alder* —7K **19**
Grove, The. *F'boro* —6C **16**
Grove, The. *Frim* —5C **10**
Guernsey Dri. *Fleet* —3A **14**
Guildford Rd. *Alder* —2C **24**
Guildford Rd. *Ash* —5H **21**
Guildford Rd. *Bag* —2K **5**
(in two parts)
Guildford Rd. *Farnh* —6G **23**
(Farnham)
Guildford Rd. *Farnh* —5K **23**
(Runfold)
Guildford Rd. *Fleet* —7B **14**
Guildford Rd. *Frim G* —1E **16**
Guildford Rd. *Light* —4B **6**
(in two parts)
Guildford Rd. *Norm* —5K **21**
Guildford Rd. *W End* —6F **7**
Guildford Rd. E. *F'boro* —6B **16**
Guildford Rd. Trad. Est. *Farnh* —6H **23**
Guildford Rd. W. *F'boro* —6B **16**
Guillemont Fields. *F'boro* —2G **15**
Gun Hill. *Alder* —5A **20**

Habershon Dri. *Frim* —4J **11**
Hadleigh Gdns. *Frim G* —1D **16**
Hadrians. *Farnh* —5H **23**
Hagley Rd. *Fleet* —1H **29**
Haig La. *C Crook* —3A **18**
Haig Rd. *Alder* —7B **20**
Haig Rd. *Col T* —7J **3**
Hailsham Clo. *Owl* —4G **3**
Haining Gdns. *Myt* —3F **17**
Halebourne La. *W End* —2H **7**
Hale Pl. *Farnh* —4H **23**
Hale Reeds. *Farnh* —3G **23**
Hale Rd. *Farnh* —4G **23**
Hale Way. *Frim* —6C **10**
Half Moon St. *Bag* —2K **5**
Halifax Clo. *F'boro* —4J **15**
Halimote Rd. *Alder* —7K **19**
Hall Clo. *Camb* —7D **4**
Hall Farm Cres. *Yat* —1A **8**
Hall La. *Yat* —4E **28**
Hamble Av. *B'water* —1G **9**
Hambleton Clo. *Frim* —3G **11**
Hamesmoor Rd. *Myt* —3D **16**
Hamesmoor Way. *Myt* —3E **16**
Hamilton Pl. *Alder* —7J **19**
Hamilton Rd. *C Crook* —2A **18**
Hammersley Rd. *Alder* —1A **20**
Hammond Way. *Light* —4C **6**
Hampshire Clo. *Alder* —2C **24**
Hampshire Rd. *Camb* —5E **4**
Hampton Clo. *C Crook* —7K **29**
Hampton Rd. *Farnh* —3D **22**
Hanbury Way. *Camb* —3B **10**
Hancombe Rd. *Sand* —4D **2**
Handford La. *Yat* —1A **8**
Hangerfield Clo. *Yat* —4E **28**
Hanover Clo. *Frim* —5D **10**
Hanover Clo. *Yat* —6A **2**
Hanover Dri. *Fleet* —3B **14**
Hanover Gdns. *F'boro* —1H **15**
Hanson Clo. *Camb* —6G **5**
Harbour Clo. *F'boro* —6K **9**
Harcourt Rd. *Camb* —1A **10**
Hardy Av. *Yat* —5E **28**
Hardy Grn. *Crowt* —1E **2**
Harlech Rd. *B'water* —2G **9**
Harlington Way. *Fleet* —2J **29**
Harper's Rd. *Ash* —5H **21**
Harpton Clo. *Yat* —6A **2**
Harpton Pde. *Yat* —6A **2**
Hart Cen., The. *Fleet* —2J **29**
Hart Clo. *F'boro* —6H **9**
Hartford Rise. *Camb* —7C **4**
Hartland Pl. *F'boro* —1K **15**
Hartley Clo. *B'water* —1E **8**
Hart Rd. *F'boro* —1K **19**
Hartsleaf Clo. *Fleet* —3J **29**
Harts Leap Clo. *Sand* —4E **2**
Harts Leap Rd. *Sand* —5D **2**
Harts Yd. *Farnh* —7E **22**
Hart, The. *Farnh* —7E **22**
Harvard Rd. *Owl* —4H **3**
Harvest Clo. *Yat* —5D **28**
Harvest Cres. *Fleet* —2A **14**
Harvey Rd. *F'boro* —2F **15**
Haslemere Clo. *Frim* —3H **11**
Hastings Clo. *Frim* —7F **11**
Hatch End. *W'sham* —1D **6**
Hatches, The. *Farnh* —2D **26**
Hatches, The. *Frim G* —1C **16**
Hatfield Gdns. *F'boro* —4D **16**
Hatherwood. *Yat* —1C **8**
Hatton Hill. *W'sham* —1D **6**
Haven Way. *Farnh* —5G **23**
Hawkesworth Dri. *Bag* —4J **5**
Hawkins Gro. *C Crook* —5G **29**
Hawkins Way. *Fleet* —7B **14**
Hawkswood Av. *Frim* —4E **10**
Hawkwell. *C Crook* —4A **18**
Hawley Ct. *F'boro* —6H **9**
Hawley Grn. *B'water* —3H **9**
Hawley La. *F'boro* —5K **9**
(in two parts)
Hawley La. Ind. Est. *F'boro* —6A **10**
Hawley Rd. *B'water* —2G **9**
Hawthorn Clo. *Alder* —1D **24**
Hawthorne Cres. *B'water* —2H **9**
Hawthorn La. *Rowl* —7C **26**
Hawthorn Rd. *Frim* —4E **10**
Hawthorn Way. *Bisl* —3H **13**
Haywood Dri. *Fleet* —4K **29**
Hazel Av. *F'boro* —5J **15**
Hazell Rd. *Farnh* —7C **22**
Hazel Rd. *Ash* —2H **25**
Hazel Rd. *Myt* —5F **17**
Hearmon Clo. *Yat* —7B **2**
Hearsey Gdns. *B'water* —7E **2**
(in two parts)
Heath Clo. *Farnh* —2F **23**
Heathcote Clo. Ash V —*5F* ***21***
(off Church Path)
Heathcote Rd. *Ash* —5G **21**
Heathcote Rd. *Camb* —1C **10**
Heath Cotts. *Bourne* —7G **27**
Heath Ct. *Bag* —2K **5**
Heath Dri. *Brkwd* —7H **13**
Heather Clo. *Alder* —7H **19**
Heather Clo. *Ash V* —3G **21**
Heather Clo. *Farnh* —4C **26**
Heatherdale Rd. *Camb* —2B **10**
Heatherdene Av. *Crowt* —1B **2**
Heather Dri. *C Crook* —6J **29**
Heather Gdns. *F'boro* —5G **15**
Heatherley Clo. *Camb* —1A **10**
Heatherley Rd. *Camb* —1A **10**
Heather Mead. *Frim* —4E **10**
Heather Mead Ct. *Frim* —4E **10**
Heather Ridge Arc. *Camb* —2H **11**
Heather Wlk. *Brkwd* —7E **12**
Heathfield Ct. *Fleet* —4H **29**
Heath Hill Rd. N. *Crowt* —1E **2**
Heath Hill Rd. S. *Crowt* —1E **2**
Heathlands Ct. *Yat* —2B **8**
Heathland St. *Alder* —6K **19**
Heath La. *Ews* —2A **22**
Heath La. *Farnh* —2F **23**
Heathpark Dri. *W'sham* —1F **7**
Heath Pl. *Bag* —2K **5**
Heath Ride. *Finch* —1A **2**
Heath Rise. *Camb* —1C **10**
Heath Rd. *Bag* —2K **5**
Heathvale Bri. Rd. *Ash V* —2F **21**
Heathway. *Camb* —1C **10**
Heathway Clo. *Camb* —1C **10**
Heathwood Clo. *Yat* —6A **2**
Heathyfields Rd. *Farnh* —3C **22**
Heddon Wlk. *F'boro* —7K **9**
Hedge Croft. *Yat* —3D **28**
Heenan Clo. *Frim G* —7D **10**
Helen Ct. *F'boro* —3A **16**
Helston Clo. *Frim* —7F **11**
Hendy Sq. *Fleet* —2J **29**
Henley Clo. *F'boro* —6H **9**
Henley Dri. *Frim G* —7D **10**
Henley Gdns. *Yat* —1A **8**
Hepworth Croft. *Col T* —7H **3**
Herbert Rd. *Fleet* —2H **29**
Herbs End. *F'boro* —2F **15**
Hereford La. *Farnh* —3E **22**
Hereford Mead. *Fleet* —3A **14**
Hermes Clo. *Fleet* —6B **14**
Hermitage Bri. Cotts. *Knap* —6K **13**
Hermitage Clo. *F'boro* —6C **16**
Hermitage Clo. *Frim* —5E **10**
Hermitage Rd. *Wok* —7K **13**
Heron Clo. *C Crook* —2B **18**
Heron Clo. *Myt* —3E **16**
Herons Ct. *Light* —5D **6**
Herons Way. *Brkwd* —7E **12**
Heron Wood Rd. *Alder* —1C **24**
Herretts Gdns. *Alder* —7C **20**
Herrett St. *Alder* —1C **24**
Herrick Clo. *Frim* —3H **11**
Herrings La. *W'sham* —1E **6**
Herriot Ct. *Yat* —5E **28**
Hewlett Pl. *Bag* —2A **6**
Hexham Clo. *Owl* —3G **3**
Heywood Dri. *Bag* —3H **5**
Hicks La. *B'water* —1E **8**
Higgs La. *Bag* —2J **5**
Highams La. *Chob* —1H **7**
High Beeches. *Frim* —4C **10**
Highbury Cres. *Camb* —6F **5**
Highclere Ct. *Knap* —4K **13**
Highclere Dri. *Camb* —6F **5**
Highclere Gdns. *Knap* —4K **13**
Highclere Rd. *Alder* —1C **24**
Highclere Rd. *Knap* —4K **13**
High Copse. *Farnh* —3D **22**
Highdown. *Fleet* —1K **29**
Highfield Av. *Alder* —2K **23**
Highfield Clo. *Alder* —1A **24**
Highfield Clo. *F'boro* —3J **15**
Highfield Clo. *Farnh* —3E **26**
Highfield Gdns. *Alder* —1K **23**
Highfield Path. *F'boro* —3J **15**
Highfield Rd. *F'boro* —3J **15**
Highgate La. *F'boro* —2B **16**
Highgrove. *F'boro* —7A **10**
Highland Dri. *Fleet* —3B **14**
Highland Rd. *Alder* —6C **20**
Highland Rd. *Camb* —5D **4**
Highlands Clo. *Farnh* —3E **26**
Highlands Rd. *Farnh* —2F **23**
High Pk. Rd. *Farnh* —6E **22**
High St. Aldershot, *Alder* —6A **20**
High St. Bagshot, *Bag* —2K **5**
High St. Camberley, *Camb* —7C **4**
High St. Crowthorne, *Crowt* —1F **3**
High St. Farnborough, *F'boro* —7C **16**
High St. Knaphill, *Knap* —4K **13**
High St. Little Sandhurst, *Sand* —4C **2**
High St. Rowledge, *Rowl* —7B **26**
High St. Sandhurst, *Sand* —4C **2**

34 A-Z Aldershot

High St. West End, *W End*
—6G **7**
High View Clo. *F'boro* —3K **15**
Highview Cres. *Camb* —4E **4**
High View Lodge. *Alder* —5K **19**
High View Rd. *F'boro* —3K **15**
High View Rd. *Light* —5K **6**
Highwood Clo. *Yat* —2A **8**
Hilder Gdns. *F'boro* —4C **16**
Hilfield. *Yat* —1C **8**
Hillary Clo. *Farnh* —2E **26**
Hillary Rd. *Farnh* —2E **26**
Hillbrook Rise. *Farnh* —3E **22**
Hill Corner Farm Cvn. Pk. *F'boro*
—7G **9**
Hillcrest. *Farnh* —1G **23**
Hillcrest. *Fleet* —1K **29**
Hill Crest Dri. *Farnh* —4C **26**
Hillcrest Rd. *Camb* —6G **5**
Hill Rd. *Farnh* —2G **23**
Hillsborough Pk. *Camb* —1H **11**
Hillside. *Camb* —6J **3**
Hillside Clo. *Crook V* —5F **29**
Hillside Cres. *Frim* —7E **10**
Hillside La. *Farnh* —1G **23**
Hillside Rd. *Alder* —1J **23**
Hillside Rd. *Ash V* —5G **21**
Hillside Rd. *Farnh* —2H **23**
Hillside Rd. *Fren* —7F **27**
Hilltop View. *Yat* —4D **28**
Hill View Rd. *Farnh* —7C **22**
Hindell Clo. *F'boro* —6K **9**
Hinstock Clo. *F'boro* —4K **15**
Hitches La. *C Crook* —5H **29**
H. Jones Cres. *Alder* —5B **20**
Hodges Clo. *Bag* —4J **5**
Hogarth Clo. *Col T* —7H **3**
Hoghatch La. *Farnh* —3D **22**
Hog's Back. *Seale* —5C **24**
Holbeche Clo. *Yat* —4C **28**
Holbrook Rd. *Farnh* —1J **23**
Holbrook Way. *Alder* —2A **24**
Holder Rd. *Alder* —7D **20**
Holland Clo. *Farnh* —7F **17**
Holland Gdns. *Fleet* —3K **29**
Hollis Wood Dri. *Wrec* —5B **26**
Holly Acre. *Yat* —1A **8**
Hollybank. *W End* —7G **7**
Hollybush La. *Alder* —3D **20**
Hollybush La. *Eve* —1A **28**
Holly Clo. *Alder* —6B **20**
Holly Clo. *Eve* —2A **28**
Holly Clo. *F'boro* —3K **15**
Hollyfields Clo. *Camb* —1A **10**
Holly Hedge Clo. *Frim* —4D **10**
Holly Hedge Rd. *Frim* —4D **10**
Hollyhock Dri. *Bisl* —2H **13**
Holly Rd. *Alder* —6B **20**
Holly Rd. *F'boro* —3J **15**
Hollytree Gdns. *Frim* —6C **10**
Hollytrees. *C Crook* —5H **29**
Holly Way. *B'water* —2G **9**
Holmbrook Clo. *F'boro* —3F **15**
Holmbrook Gdns. *F'boro*
—3F **15**
Holt Clo. *F'boro* —6B **10**
Holt Pound Cotts. *Rowl* —6A **26**
Holt Pound La. *Holt P* —5A **26**
Holywell Clo. *F'boro* —7K **9**
Home Farm Clo. *F'boro* —1C **16**
Homelea Clo. *F'boro* —6A **10**
Homeleigh Cres. *Ash V* —7F **21**
Homepark Ho. *Farnh* —7F **23**
Home Pk. Rd. *Yat* —7A **2**
Hone Hill. *Sand* —5E **2**
Hones Yd. Bus. Pk. *Farnh*
—7G **15**
Honeysuckle Clo. *Yat* —3C **28**
Honister Gdns. *Fleet* —5B **14**
Honister Wlk. *Camb* —2J **11**
Hook La. *Bisl* —7D **6**
Hook Mill La. *Light* —3E **6**
Hookstile La. *Farnh* —1F **27**
Hookstone La. *W End* —5G **7**
Hope Fountain. *Camb* —4E **10**
Hope Grant's Rd. *Alder* —4K **19**
Hope La. *Farnh* —3E **22**
Hopeman Clo. *Col T* —6G **3**
Hop Garden. *C Crook* —7H **29**
Hormer Clo. *Owl* —4G **3**
Hornbeam Clo. *F'boro* —2F **15**
Hornbeam Rd. *Owl* —4G **3**
Hornes Field Ct. *C Crook* —7H **29**
(off Brandon Rd.)
Horn Rd. *F'boro* —2H **15**
Horsebrass Dri. *Bag* —3K **5**

Horseshoe Clo. *Camb* —5E **4**
Horseshoe Cres. *Camb* —5E **4**
Horseshoe La. *Ash V* —1F **21**
Horsham Rd. *Owl* —4G **3**
Hospital Hill. *Alder* —5K **19**
Hospital Rd. *Alder* —5K **19**
Hostel Rd. *F'boro* —7A **16**
Houlton Ct. *Bag* —3K **5**
Houseman Rd. *F'boro* —1J **15**
House Plat Ct. *C Crook* —7H **29**
(off Annettes Croft)
Howard Clo. *Fleet* —6B **14**
Howard Cole Way. *Alder* —6H **19**
Howard Dri. *F'boro* —3E **14**
Howes Gdns. *C Crook* —5H **29**
Huddington Glade. *Yat* —4C **28**
Humber Way. *Sand* —5G **3**
Humphrey Pk. *C Crook* —7J **29**
(in two parts)
Hungerford Clo. *Sand* —5F **3**
Hunnels Clo. *C Crook* —7H **29**
Hunter Rd. *F'boro* —4J **15**
Hunts La. *Camb* —6J **3**
Huntsmans M. *Myt* —4E **16**
Hurlands Bus. Cen. *Farnh*
—5J **23**
Hurlands Clo. *Farnh* —5J **23**
Hurlands Pl. *Farnh* —5J **23**
Hurst Rd. *Alder* —4B **20**
Hurst Rd. *F'boro* —6A **10**
Hussar Ct. *Alder* —6H **19**
Hutton Clo. *W'sham* —2E **6**
Hutton Rd. *Ash V* —2F **21**

I.A.M. Rd. *F'boro* —7A **16**
Iberian Way. *Camb* —7F **5**
Ilex Clo. *Yat* —3D **28**
Imjin Clo. *Alder* —5A **20**
Ingle Dell. *Camb* —2C **10**
Inglewood Av. *Camb* —2H **11**
Inner Quad., The. *Ash V* —3E **20**
Innisfail Gdns. *Alder* —1J **23**
Institute Rd. *Alder* —7C **20**
(Aldershot)
Institute Rd. *Alder* —1B **20**
(North Camp)
Instow Gdns. *F'boro* —7K **9**
Inverness Way. *Col T* —6G **3**
Invincible Rd. *Inv E* —5K **15**
Iris Dri. *Bisl* —2H **13**
Iris Rd. *Bisl* —2H **13**
Irvine Dri. *F'boro* —6H **9**
Isis Way. *Sand* —5G **3**
Ively Rd. *F'boro* —7D **14**
(in two parts)
Ives Clo. *Yat* —2D **28**
Ivydene. *Knap* —5J **13**
Ivy Dri. *Light* —6B **6**
Ivy La. *Farnh* —7E **22**
Ivy Rd. *Alder* —6C **20**

Jacob Rd. *Col T* —6K **3**
James Rd. *Alder* —1C **20**
James Rd. *Camb* —4A **10**
James Way. *Camb* —4A **10**
Japonica Clo. *Ash* —7C **8**
Jarvis Clo. *Eve C* —1A **28**
Jay Clo. *Ews* —2A **28**
Jays Nest Clo. *B'water* —2G **9**
Jean Orr Ct. *C Crook* —6K **29**
Jefferson Rd. *Pirb* —7D **12**
Jenkins Hill. *Bag* —3J **5**
Jenkins Pl. *F'boro* —7C **16**
Jenner Dri. *W End* —7H **7**
Jennys Wlk. *Yat* —3B **8**
Jersey Clo. *Farnh* —3A **14**
Jesse Clo. *Yat* —1C **8**
Jessett Dri. *C Crook* —7H **29**
John Clo. *Alder* —1H **23**
Johnson Way. *C Crook* —6K **29**
Jubilee Clo. *F'boro* —3G **15**
Jubilee Clo. *Ash V* —2F **21**
Jubilee Hall Rd. *F'boro* —3B **16**
Jubilee La. *Wrec* —6D **26**
Jubilee Rd. *Alder* —2A **24**
Jubilee Rd. *Myt* —5F **17**
Junction Rd. *Light* —4C **6**
Juniper Dri. *Bisl* —2H **13**
Juniper Rd. *F'boro* —2F **15**

Keable Rd. *Wrec* —3C **26**
Keats Gdns. *Fleet* —6A **14**
Keats Way. *Yat* —5D **28**
Keble Way. *Owl* —3H **3**

Keith Lucas Rd. *F'boro* —5J **15**
Kelsey Gro. *Yat* —1B **8**
Kemp Ct. *Bag* —3A **6**
Kempton Ct. *F'boro* —5J **15**
Kendal Clo. *F'boro* —3H **15**
Kendal Gro. *Camb* —2J **11**
Kenilworth Cres. *Fleet* —5B **14**
Kenilworth Rd. *F'boro* —2F **15**
Kenilworth Rd. *Fleet* —6A **14**
Kenmore Clo. *C Crook* —3A **18**
Kenmore Clo. *Frim* —6C **10**
Kennel La. *Fren* —7F **27**
Kennel La. *W'sham* —1D **6**
Kennels La. *Fleet & Farn*
—4E **14**
Kennet Clo. *Ash* —7F **21**
Kennet Clo. *F'boro* —1H **15**
Kentigern Dri. *Crowt* —1G **3**
Kenton Clo. *Frim* —4E **10**
Kent Rd. *Fleet* —6A **14**
Kent Rd. *W'sham* —1E **6**
Kenwith Av. *Fleet* —6B **14**
Kenworth Gro. *Light* —4B **6**
Kenya Ter. *Fren* —5K **11**
Keogh Barracks. *Ash V* —6G **17**
Keogh Clo. *Ash V* —6G **17**
Kepple Pl. *Bag* —2K **5**
Kerria Way. *W End* —7F **7**
Kerry Clo. *Fleet* —3A **14**
Kestrel Clo. *Ews* —2A **22**
Keswick Clo. *Camb* —2J **11**
Keswick Rd. *Light* —5C **6**
Kevins Dri. *Yat* —6B **2**
Kevins Gro. *Fleet* —6A **14**
Keynes Clo. *C Crook* —4A **18**
Keynsham Way. *Owl* —3A **3**
Kielder Wlk. *Camb* —2H **11**
Kilmartin Gdns. *Frim* —5E **10**
Kilmore Dri. *Camb* —2G **11**
Kilmuir Clo. *Col T* —6G **3**
Kiln La. *Knap* —4J **13**
Kiln La. *Lwr Bo* —4F **27**
Kiln Way. *Alder* —2A **24**
Kimberley. *C Crook* —4A **18**
Kimbers La. *Farnh* —6G **23**
Kingcup Dri. *Bisl* —2H **13**
Kingfisher Clo. *C Crook* —6K **29**
Kingfisher Clo. *F'boro* —1F **15**
Kingfisher Dri. *Yat* —3D **28**
Kingfisher Wlk. *Ash* —6E **20**
King's Av. *Pirb* —6E **12**
Kings Av. *Tong* —1D **24**
Kingsclear Pk. *Camb* —2C **10**
Kings Ct. *Tong* —1E **24**
King's Cres. *Camb* —6H **5**
Kingscroft. *Fleet* —3K **29**
Kingsgrove Ind. Est. *F'boro*
—4K **15**
Kings Pde. *Fleet* —2K **29**
King's Ride. *Camb* —4C **4**
King's Rd. *Alder* —7H **19**
King's Rd. *Crowt* —1F **3**
Kings Rd. *Fleet* —1K **29**
King's Rd. *W End* —1H **13**
Kingston Rd. *Camb* —5F **5**
Kingstons Ind. Est. *Alder*
—6D **20**
King's Wlk. *Col T* —7J **3**
Kingsway. *Alder* —2A **24**
Kingsway. *B'water* —1G **9**
Kipling Clo. *Yat* —5E **28**
Kirkham Clo. *Owl* —3G **3**
Kirkstone Clo. *Camb* —2J **11**
Kirriemuir Gdns. *Ash* —5J **21**
Kitchener Rd. *Alder* —7B **20**
Knightsbridge Gro. *Camb* —6D **4**
Knightsbridge Rd. *Camb* —6D **4**
Knights Rd. *Farnh* —2H **23**
Knights Way. *Camb* —4H **11**
Knoll Clo. *Fleet* —1K **29**
Knoll Ct. *Fleet* —1K **29**
Knoll Rd. *Camb* —7C **4**
Knoll Rd. *Fleet* —1K **29**
Knoll Wlk. *Camb* —7C **4**
Knollys Rd. *Alder* —5J **19**
Knowles Av. *Crowt* —1C **2**

Kohat Ct. *Alder* —6J **19**
Kohima Clo. *Alder* —5A **20**
Krooner Rd. *Camb* —3A **10**

Laburnum Clo. *Alder* —7K **19**
Laburnum Gdns. *C Crook*
—3A **18**
Laburnum Pas. *Alder* —7K **19**
Laburnum Rd. *Alder* —7K **19**
Laburnum Rd. *Farnh* —2H **23**
Laburnums, The. *B'water* —1E **8**
Ladywood Av. *F'boro* —3F **15**
Laffan's Rd. *Alder* —2F **19**
Laird Ct. *Bag* —4K **5**
Lake End Way. *Crowt* —1D **2**
Lakeland Dri. *Frim* —5D **10**
Lake Rd. *Deep* —6H **17**
Lakeside Clo. *Ash V* —3E **20**
Lakeside Ct. *Fleet* —4A **14**
Lakeside Gdns. *F'boro* —7G **9**
Lakeside Rd. *Ash V* —4E **20**
Lakeside Rd. *F'boro* —1K **19**
Lakeside, The. *B'water* —1E **8**
Lambert Cres. *B'water* —2G **9**
Lamborne Clo. *Sand* —4D **2**
Lambourne Dri. *Bag* —3J **5**
Lambourne Way. *Tong* —2D **24**
Lanark Clo. *Frim* —4D **10**
Lancaster Av. *Farnh* —2F **27**
Lancaster Dri. *Camb* —7C **4**
Lancaster Way. *F'boro* —7B **10**
Lancer Ct. *Alder* —6H **19**
Landseer Clo. *Col T* —7H **3**
Lane End Dri. *Knap* —4K **13**
Langdale Clo. *F'boro* —3H **15**
Langdon Clo. *Camb* —2H **11**
Langham Ct. *Farnh* —3F **27**
Langley Clo. *C Crook* —7J **29**
Langley Dri. *Camb* —7D **4**
Lansdowne Rd. *Alder* —7K **19**
Lansdowne Rd. *Frim* —6F **11**
Larch Clo. *Camb* —5D **4**
Larches Way. *B'water* —1E **8**
Larchfield Rd. *Fleet* —4K **29**
Larch Way. *F'boro* —4F **15**
Larchwood Glade. *Camb* —6F **5**
Larkfield Clo. *Farnh* —6C **22**
Larkfield Rd. *Farnh* —6C **22**
Larkspur Clo. *Alder* —2K **23**
Larks Way. *Knap* —3K **13**
Larkswood Dri. *Sand* —4D **2**
Larmer Clo. *Fleet* —4G **29**
Latchwood La. *Lwr Bo* —5G **27**
Latham Av. *Frim* —4D **10**
Lauder Clo. *Frim* —4D **10**
Lauderdale. *F'boro* —5G **15**
Laundry La. *Sand* —7H **3**
Laurel Clo. *Camb* —2C **10**
Laurel Clo. *F'boro* —4F **15**
Laurel Gdns. *Alder* —2K **23**
Laurel Gro. *Wrec* —5C **26**
Laurels, The. *Farnh* —2J **23**
Laurels, The. *Camb* —2K **29**
Lavender La. *Rowl* —6C **26**
Lawday Link. *Farnh* —2D **22**
Lawday Pl. *Farnh* —2D **22**
Lawford Cres. *Yat* —7A **2**
Lawns, The. *F'boro* —4H **15**
Lawrence Cres. *W'sham* —1E **6**
Lawrence Rd. *Fleet* —3J **29**
Lawrence Way. *Camb* —2J **9**
Laws Ter. *Alder* —5B **20**
Lea Clo. *Ash* —7F **21**
Lea Ct. *Farnh* —2J **23**
Lea La. *Fleet* —4H **29**
Lea Rd. *Camb* —4A **10**
Lea Springs. *Fleet* —4G **29**
Lea, The. *Fleet* —4G **29**
Lea Way. *Alder* —5E **20**
Leawood Rd. *Fleet* —4H **29**
Le Borowe. *C Crook* —7H **29**
Ledger Clo. *C Crook* —6H **29**
Lee Ct. *Alder* —1B **24**
Lee Rd. *Alder* —6H **19**
Legge Cres. *Alder* —7H **19**
Leigh La. *Farnh* —2H **27**
Leipzig Rd. *C Crook* —5A **18**
Le Marchant Rd. *Frim & Camb*
—3E **10**
Lendore Rd. *Frim* —6C **10**
Lennel Gdns. *C Crook* —2B **18**
Leonard Clo. *Frim* —6C **10**
Leopold Av. *F'boro* —2A **16**
Lestock Rd. *Fleet* —6B **14**

Levern Dri. *Farnh* —3F **23**
Levignen Clo. *C Crook* —6G **29**
Lewisham Way. *Owl* —4G **3**
Ley Rd. *F'boro* —6K **9**
Ley Side. *Crowt* —1D **2**
Lickfolds Rd. *Rowl* —7B **26**
Lightwater By-Pass. *Light* —3B **6**
Lightwater Meadow. *Light*
—5C **6**
Lightwater Rd. *Light* —5C **6**
Lille Barracks. *Alder* —1C **19**
Lilley Ct. *Crowt* —1E **2**
Lime Av. *Camb* —7F **5**
Lime Cres. *Ash* —6G **21**
Lime St. *Alder* —6J **19**
Limecroft. *Yat* —4E **28**
Limecroft Rd. *Knap* —4J **13**
Lime Clo. *F'boro* —2F **15**
Lime St. *Alder* —6J **19**
Lincoln Clo. *Camb* —2G **11**
Linden Ct. *Camb* —6E **4**
Lindens, The. *Farnh* —2G **27**
Lindum Clo. *Alder* —7K **19**
Lindum Dene. *Alder* —7K **19**
Ling Dri. *Light* —6A **6**
Lingmala Gro. *C Crook* —3A **18**
Links Way. *F'boro* —4F **15**
Link, Tho. *Yat* —3E **28**
Linkway. *Camb* —2B **10**
Linkway. *Crowt* —1C **2**
Linkway Pde. *Fleet* —5J **29**
Linkway Pde. *Fleet* —5J **29**
Linsford Bus. Pk. *Myt* —4E **16**
Linsford La. *Myt* —4E **16**
Linstead Rd. *F'boro* —6H **9**
Lion & Lamb Way. *Farnh*
—7E **22**
Lion & Lamb Yd. *Farnh* —7E **22**
Lion Way. *C Crook* —3A **18**
Liskeard Dri. *F'boro* —1K **15**
Lismoyne Clo. *Fleet* —1J **29**
Lit. Austins Rd. *Farnh* —2G **27**
Lit. Copse. *Fleet* —4A **29**
Lit. Copse. *Yat* —6A **2**
Lit. Croft. *Yat* —2A **8**
Littlefield Clo. *Ash* —7F **21**
Littlefield Gdns. *Ash* —7F **21**
Lit. Green La. *Farnh* —3D **26**
Lit. Moor. *Sand* —4F **3**
Lit. Paddock. *Camb* —5F **5**
Lit. Thurbans Clo. *Farnh* —4D **26**
Lit. Vigo. *Yat* —5D **28**
Lit. Wellington St. *Alder* —6K **19**
Littleworth Rd. *Seale* —7D **24**
Llangar Gro. *Crowt* —1D **2**
Lobelia Rd. *Bisl* —2H **13**
Lock Rd. *Alder* —3C **20**
Lockswood. *Brkwd* —7J **13**
Lockwood Clo. *F'boro* —6H **9**
Loddon Clo. *Camb* —7F **5**
Loddon Rd. *F'boro* —1G **15**
Loddon Way. *Ash* —7F **21**
Lodge Clo. *Alder* —1K **23**
Lodge Gro. *Yat* —7C **2**
Lodge Hill Clo. *Lwr Bo* —4G **27**
Lodge Hill Rd. *Lwr Bo* —4G **27**
Lodsworth. *F'boro* —4G **15**
Loman Rd. *Myt* —3F **17**
Londlandes. *C Crook* —7H **29**
London Rd. *Bag* —4G **5**
London Rd. *B'water & Sand*
—2G **9**
London Rd. *B'water* —4A **8**
London Rd. *Elv & Yat* —7A **28**
Loneacre. *W'sham* —1F **7**
Longacre. *Ash* —6F **21**
Long Beech Dri. *F'boro* —4F **15**
Long Bri. *Farnh* —7F **23**
Longdown. *Fleet* —5J **29**
Longdown Clo. *Lwr Bo* —4F **27**
Longdown Lodge. *Sand* —5E **2**
Longdown Rd. *Lwr Bo* —5E **26**
Longdown Rd. *Sand* —4D **2**
Longfield Clo. *F'boro* —6K **9**
Longfield Rd. *Ash* —6F **21**
Longford Clo. *Camb* —2C **10**
Long Garden M. *Farnh* —7E **22**
(off Long Garden Wlk.)
Long Garden Pl. *Farnh* —7E **22**
Long Garden Wlk. *Farnh* —7E **22**
Long Garden Wlk. E. *Farnh*
—6E **22**
Long Garden Wlk. W. *Farnh*
—6E **22**
Long Garden Way. *Farnh*
—7E **22**
Longhope Dri. *Wrec* —4D **26**
Longlands Av. *Camb* —1J **11**

Longleat Sq. *F'boro* —4D **16**
Longley Rd. *Farnh* —1G **27**
Longmead. *Fleet* —5K **9**
Longmeadow. *Frim* —3E **10**
Long Mickle. *Sand* —4D **2**
Long Rd., The. *Rowl* —7C **26**
Long Wlk. *Farnh* —6E **22**
Longwater La. *Eve* —1A **28**
Longwater Rd. *Eve & Finch*
　—1B **28**
Lorraine Rd. *Camb* —5E **4**
Lory Ridge. *Bag* —1K **5**
Lothian Rd. *Pirb* —7B **12**
Louise Margaret Rd. *Alder*
　—5B **20**
Lovelands La. *Chob* —7K **7**
Love La. *Ash* —6G **21**
Love La. *C'dne* —3C **28**
Lovells Clo. *Light* —4C **6**
Lwr. Broadmoor Rd. *Crowt*
　—1F **3**
Lwr. Canes. *Yat* —3C **28**
Lwr. Charles St. *Seale* —4G **25**
Lwr. Church La. *Farnh* —7E **22**
Lwr. Church Rd. *Sand* —4B **2**
Lwr. Farnham Rd. *Alder* —2A **24**
Lwr. Guildford Rd. *Knap* —4K **13**
Lwr. Mill Field. *Bag* —3J **5**
Lwr. Moor. *Yat* —1A **8**
Lwr. Nelson St. *Alder* —6K **19**
Lwr. Newport Rd. *Alder* —7C **20**
Lwr. Sandhurst Rd. *Finch*
　—3A **2**
Lwr. South View. *Farnh* —6F **23**
Lwr. Weybourne La. *Farnh*
　—3J **23**
Lwr. Wokingham Rd. *Finch &*
　Crowt —1A **2**
Loweswater Wlk. *Camb* —2J **11**
Lowfield Clo. *Light* —5B **6**
Lowlands Rd. *B'water* —2F **9**
Low La. *Bad L* —3A **24**
Lowndes Bldgs. *Farnh* —6E **22**
Lowry Clo. *Col T* —7G **3**
Loxwood Av. *C Crook* —4H **29**
Lucas Clo. *Yat* —1A **8**
Lucas Dri. *Yat* —1A **8**
Lucas Grn. Rd. *W End* —2E **12**
Ludlow Clo. *Frim* —7F **11**
Luke Rd. *Alder* —1H **23**
Luke Rd. E. *Alder* —1H **23**
Lulworth Clo. *F'boro* —7K **9**
Lupin Clo. *Bag* —4H **5**
Lyall Pl. *Farnh* —2E **22**
Lych Ga. Clo. *Sand* —5C **2**
Lydford Clo. *F'boro* —7K **9**
Lydford Clo. *Frim* —7F **11**
Lye Copse Av. *F'boro* —6A **10**
Lymington Av. *Yat* —4D **28**
Lynchford La. *F'boro* —6D **16**
Lynchford Rd. *Ash V* —7E **16**
Lynchford Rd. *F'boro* —1A **20**
(in two parts)
Lynch Rd. *Farnh* —1G **27**
Lyndale Dri. *Fleet* —6C **14**
Lyndford Ter. *Fleet* —4J **29**
Lyndhurst Av. *Alder* —3B **24**
Lyndhurst Av. *B'water* —7F **3**
Lyndsey Clo. *F'boro* —3E **14**
Lynn Way. *F'boro* —7J **9**
Lynton Clo. *Farnh* —3D **26**
Lynwood Dri. *Myt* —4F **17**
Lyon Way. *Frim* —5A **11**
Lysons Av. *Ash V* —7E **16**
Lyson's Rd. *Alder* —7K **19**

Macdonald Rd. *Farnh* —2E **22**
Macdonald Rd. *Light* —6A **6**
McGrigor Barracks. *Alder*
　—5A **20**
McKay Clo. *Alder* —5B **20**
McKernan Ct. *Sand* —5C **2**
McNaughton Clo. *F'boro* —4F **15**
Macrae Rd. *Yat* —3E **28**
Madeley Rd. *C Crook* —2A **18**
Madox Brown End. *Col T* —6H **3**
Magdalene Rd. *Owl* —3J **3**
Magnolia Clo. *Owl* —4G **3**
Magnolia Way. *Fleet* —4K **29**
Magpie Clo. *Ews* —1A **22**
Maguire Dri. *Frim* —3H **11**
Mahonia Clo. *W End* —7G **7**
Maida Rd. *Alder* —4A **20**
Mainstone Clo. *Deep* —7H **11**
Mainstone Cres. *Brkwd* —7E **12**
Mainstone Rd. *Bisl* —3G **13**

Main St. *Yat* —6A **2**
Maitland Rd. *F'boro* —7A **16**
Maitlands Clo. *Tong* —3D **24**
Mallard Clo. *Ash* —5E **20**
Mallards, The. *Frim* —4E **10**
Mallards Way. *Light* —5B **6**
Mallard Way. *Yat* —3D **28**
Malta Barracks. *Alder* —3J **19**
Malta Rd. *Deep* —6K **11**
Malthouse Clo. *C Crook* —6H **29**
Malthouse Ct. *W End* —6G **7**
Malthouse La. *W End* —7G **7**
Malvern Rd. *F'boro* —7G **9**
Mandora Rd. *Alder* —4A **20**
Manfield Rd. *Ash* —6F **21**
Manley Bri. Rd. *Rowl* —5B **26**
Manor Clo. *Tong* —2E **24**
Manor Ct. *C Crook* —7K **29**
Manor Cres. *Brkwd* —7F **13**
Manor Farm Bus. Cen. *Tong*
　—4E **24**
Manor Farm Cotts. *Ash* —7E **20**
Manor Fields. *Seale* —4G **25**
Manor Gdns. *Lwr Bo* —5G **27**
Manor Ho. Flats. *Tong* —3E **24**
Manor Pk. Dri. *Yat* —1A **8**
Manor Pk. Ind. Est. *Alder*
　—7B **20**
Manor Rd. *Alder* —1J **23**
Manor Rd. *F'boro* —4C **16**
Manor Rd. *Farnh* —5H **23**
Manor Rd. *Tong & Ash* —2E **24**
Manor Wlk. *Alder* —7A **20**
Manor Way. *Bag* —3K **5**
Maple Clo. *Ash V* —1E **20**
Maple Clo. *B'water* —1F **9**
Maple Clo. *Sand* —4C **2**
Maple Dri. *Light* —5A **6**
Maple Gdns. *Yat* —1A **8**
Maple Leaf Clo. *F'boro* —4J **15**
Maple Wlk. *Alder* —1C **24**
Mardale. *Camb* —2H **11**
Mareth Clo. *Alder* —6A **20**
Marigold Dri. *Bisl* —2H **13**
Mariners Dri. *F'boro* —1B **16**
Marjoram Clo. *F'boro* —3E **14**
Markham Ct. *Camb* —7C **4**
Marlborough Clo. *Fleet* —7C **14**
Marlborough Rise. *Camb* —7D **4**
Marlborough View. *F'boro*
　—4K **15**
Marrowbrook Clo. *F'boro*
　—4K **15**
Marrowbrook La. *F'boro* —5J **15**
Marshall Clo. *F'boro* —7J **9**
Marshall Clo. *Frim* —4J **11**
Marshall Rd. *Col T* —6G **3**
Marsh La. *Eve* —2B **28**
Marshwood Rd. *Light* —5E **6**
Marston Dri. *F'boro* —7A **16**
Marston Rd. *F'boro* —7C **22**
Martel Clo. *Camb* —6H **5**
Martindale Av. *Camb* —2H **11**
Martingale Ct. *Alder* —6H **19**
Martins Clo. *B'water* —2G **9**
Martins Pk. *F'boro* —7G **9**
Martin Way. *Frim* —5D **10**
Masefield Gdns. *Crowt* —2E **2**
Maskell Way. *F'boro* —4F **15**
Mason Clo. *Yat* —1B **8**
Mason Pl. *Sand* —5C **2**
Mason Rd. *F'boro* —1H **15**
Mason Way. *Alder* —2A **24**
Matthew Rd. *Alder* —1H **23**
Matthews Clo. *F'boro* —5D **14**
Matthews Rd. *Camb* —5B **4**
Matthews Way. *Fleet* —1J **29**
Matthew Ter. *Alder* —6B **20**
Maultway Clo. *Camb* —5G **5**
Maultway Cres. *Camb* —5G **5**
Maultway N., The. *Camb* —4F **5**
Maultway, The. *Camb* —5G **5**
Mavins Rd. *Farnh* —2G **27**
Maxine Clo. *Sand* —4E **2**
Maybrick Clo. *Sand* —4C **2**
Maybury Clo. *Frim* —6C **10**
May Clo. *Owl* —5G **3**
May Cres. *Ash* —7D **20**
Mayfield Rd. *Rowl* —7C **26**
Mayfield Rd. *Camb* —5A **10**
Mayfield Rd. *F'boro* —7J **9**
Mayflower Dri. *Yat* —2A **8**
Maytrees. *Knap* —4K **13**
Maywood Dri. *Camb* —6G **5**
Meade Ct. *Bag* —2A **6**
Mead La. *Farnh* —7E **22**
Meadow Bank. *Farnh* —1E **26**

Meadowbank Rd. *Light* —4D **6**
Meadow Clo. *Ash V* —6E **16**
Meadow Clo. *B'water* —2G **9**
Meadow Cotts. *W End* —6G **7**
Meadow Ct. *F'boro* —3J **15**
Meadow Ct. *Fleet* —2J **29**
Meadow Rise. *Knap* —4K **13**
Meadow Rd. *F'boro* —7A **10**
Meadows, The. *Ash* —6G **21**
Meadows, The. *Camb* —1H **9**
Meadow View. *C Crook* —6H **29**
Meadow Wlk. *Fleet* —4G **29**
Meadow Way. *Alder* —5E **20**
Meadow Way. *B'water* —1F **9**
Meadow Way. *Rowl* —7C **26**
Meadow Way. *W End* —6G **7**
Mead, The. *F'boro* —4A **16**
Meadway. *Frim* —4E **10**
Medlar Dri. *B'water* —3J **9**
Medonte Clo. *Fleet* —7A **14**
Medway Dri. *F'boro* —1H **15**
Melksham Clo. *Owl* —4G **3**
Mellersh Clo. *C Crook* —7H **29**
Melrose Av. *F'boro* —2F **15**
Melville Av. *Frim* —5E **10**
Membury Clo. *Frim* —7F **11**
Mendip Rd. *F'boro* —7H **9**
Menin Way. *Farnh* —1G **27**
Meon Clo. *F'boro* —1G **15**
Merivale. *Fleet* —3G **29**
Merlin Ct. *Frim* —5C **10**
Merlins Clo. *Farnh* —1F **27**
Merlin Way. *F'boro* —4G **15**
Merron Clo. *Yat* —4E **28**
Merrywood Pk. *Camb* —2E **10**
Merryworth Clo. *Ash* —7E **20**
Merton Clo. *Owl* —3J **3**
Meudon Av. *F'boro* —4A **16**
Michaelmas Clo. *Yat* —2A **8**
Michelet Clo. *Light* —4C **6**
Mickle Hill. *Sand* —4D **2**
Middle Av. *Farnh* —2G **27**
Middle Bourne La. *Lwr Bo*
　—4E **26**
Middle Chu. La. *Farnh* —7E **22**
Middle Clo. *Camb* —7H **5**
Middlefield. *Farnh* —3D **26**
(in two parts)
Middlefield Clo. *Farnh* —2D **26**
Middle Gordon Rd. *Camb*
　—2D **4**
Middle Hill. *Alder* —5K **19**
Middlemoor Rd. *Frim* —6D **10**
Middle Old Pk. *Farnh* —5C **22**
Middleton Gdns. *F'boro* —1H **15**
Middleton Rd. *Camb* —7D **4**
Mike Hawthorn Dri. *Farnh*
　—6F **23**
Milden Clo. *Frim G* —1F **17**
Milden Gdns. *Frim G* —1E **16**
Miles Pl. *Light* —6A **6**
Miles Rd. *Ash* —5G **21**
Mill Bri. Rd. *Yat* —1D **28**
Mill Clo. *Bag* —2J **5**
Mill Corner. *Fleet* —3B **14**
Mill Field. *Bag* —2J **5**
Millgate Ct. *Farnh* —6G **23**
Millholme Wlk. *Camb* —2H **11**
Millins Clo. *Owl* —4H **3**
Mill La. *Yat* —5A **2**
Millmere. *Yat* —6A **2**
Mill Stream. *Farnh* —3H **23**
Milton Grange. *Ash V* —3F **21**
Minehurst Rd. *Myt* —3E **16**
Minley Clo. *F'boro* —4A **16**
Minley La. *Yat* —4A **8**
Minley Link Rd. *F'boro* —3E **14**
Minley Mnr. *B'water* —6B **8**
Minley Rd. *B'water & Fleet*
(in two parts)　—7E **28**
Minley Rd. *F'boro* —6C **8**
(in two parts)
Minorca Av. *Deep* —4K **11**
Minorca Rd. *Deep* —5K **11**
Minstead Dri. *Yat* —4E **28**
Minster Ct. *Camb* —2J **9**
Mistletoe Rd. *Yat* —2A **8**
Mitcham Rd. *Camb* —4F **5**
Moffatts Clo. *Sand* —5D **2**
Mole Clo. *F'boro* —3B **16**
Molyneux Rd. *W'sham* —1E **6**
Monks Clo. *F'boro* —3B **16**
Monkshanger. *Farnh* —1H **27**
Monks Rise. *Fleet* —2G **29**
Monk's Wlk. *Farnh* —3J **27**
Monkton La. *Farnh* —4H **23**
Monkton Pk. *Farnh* —5J **23**

Mons Barracks. *Alder* —3C **20**
Mons Clo. *Alder* —1D **20**
Montacute Clo. *F'boro* —3C **16**
Montague Clo. *Camb* —1A **10**
Montague Clo. *Light* —4B **6**
Monteagle La. *Yat* —4D **28**
Montgomery Clo. *Sand* —5E **2**
Montgomery Path. *F'boro*
　—4J **15**
Montgomery Rd. *F'boro* —4J **15**
Montreal Ct. *Alder* —7J **19**
Montrose Clo. *Fleet* —7A **14**
Montrose Clo. *Frim* —4D **10**
Moons Hill. *Fren* —7E **26**
Moor Clo. *Owl* —4H **3**
Moore Clo. *C Crook* —6K **29**
Moore Clo. *Tong* —1D **24**
Moore Rd. *C Crook* —6K **29**
Moore Rd. *Pirb* —7C **12**
Moorlands Clo. *Fleet* —7A **14**
Moorlands Pl. *Camb* —1K **9**
Moorlands Rd. *Camb* —2A **10**
Moor Pk. La. *Farnh* —6H **23**
Moor Pk. Way. *Farnh* —7J **23**
Moor Rd. *F'boro* —6K **9**
Moor Rd. *Frim* —6E **10**
Moorside Clo. *F'boro* —5K **9**
Moors, The. *Tong* —2D **24**
Moray Av. *Col T* —5G **3**
(in two parts)
Mordaunt Dri. *Wel C* —2E **2**
Moreton Clo. *C Crook* —7J **29**
Morland Rd. *Alder* —2A **24**
Morley Clo. *Yat* —4C **28**
Morley Rd. *Farnh* —1F **27**
Morris Rd. *F'boro* —7C **16**
Morton Clo. *Frim* —7E **10**
Morval Clo. *F'boro* —3H **15**
Moselle Clo. *F'boro* —2G **15**
Moulsham Copse La. *Yat*
　—2D **28**
Moulsham Grn. *Yat* —2D **28**
Moulsham La. *Yat* —2D **28**
Mountbatten Ct. *Alder* —6K **19**
(off Birchett Rd.)
Mountbatten Rise. *Sand* —4C **2**
Mt. Pleasant. *Farnh* —7D **22**
Mt. Pleasant. *Sand* —4D **2**
Mt. Pleasant Clo. *Light* —4B **6**
Mt. Pleasant Rd. *Alder* —6B **20**
Mount, The. *Fleet* —1A **29**
Mount View. *Alder* —7K **19**
Mulberries, The. *Farnh* —5J **23**
Mulberry Clo. *Ash V* —4F **21**
Mulberry Clo. *Crowt* —1F **3**
Mulberry Clo. *Owl* —5G **3**
Mulgrave Rd. *Frim* —4E **10**
Mulroy Dri. *Camb* —7F **5**
Munnings Dri. *Col T* —7G **3**
Murray Rd. *F'boro* —4J **15**
Murrell Rd. *Ash* —5F **21**
Murrells La. *Camb* —3A **10**
Myers Way. *Frim* —4J **11**
Myrtle Clo. *Light* —5C **6**
Myrtle Dri. *B'water* —1H **9**
Mytchett Farm Cvn. Pk. *Myt*
　—5E **16**
Mytchett Heath. *Myt* —5F **17**
Mytchett Lake Rd. *Myt* —6F **17**
Mytchett Pl. Rd. *Myt & Ash V*
　—4F **17**
Mytchett Rd. *Myt* —3E **16**

Nairn Clo. *Frim* —4D **10**
Napier Clo. *Alder* —1D **20**
Napier Clo. *Crowt* —1F **3**
Napier Dri. *Camb* —6F **5**
Napier La. *Ash V* —4F **21**
Napier Rd. *Crowt* —1F **3**
Napoleon Av. *F'boro* —1A **16**
Nash Clo. *F'boro* —3J **15**
Nasturtium Dri. *Bisl* —2H **13**
Nelson Clo. *Farnh* —1G **23**
Nelson Rd. *Farnh* —1G **23**
Nelson St. *Alder* —6K **19**
Nelson Way. *Camb* —2J **9**
Netherhouse Ct. *C Crook*
　—5G **29**
Netherhouse Moor. *C Crook*
　—4G **29**
Nether Vell-Mead. *C Crook*
　—7H **29**
Netley St. *F'boro* —7A **16**
Nevada Clo. *F'boro* —4G **15**
Neville Duke Rd. *F'boro* —6J **9**
New Barn Clo. *Fleet* —4G **29**

Newcome Pl. *Alder* —2C **24**
Newcome Rd. *Farnh* —3H **23**
New Dawn Clo. *F'boro* —4G **15**
New England Hill. *W End* —6E **6**
Newfield Av. *F'boro* —1H **15**
Newfield Rd. *Ash V* —2F **21**
Newfoundland Rd. *Deep* —6J **11**
Newlands. *Fleet* —5K **29**
Newlands Clo. *Yat* —1A **8**
Newlands Dri. *Ash V* —6G **15**
Newlands Rd. *Camb* —5A **10**
Newmans Ct. *Farnh* —2D **22**
New Poplars Ct. *Ash* —7F **21**
Newport Rd. *Alder* —7B **20**
New Rd. *Bag & W'sham* —2A **6**
New Rd. *B'water* —2H **9**
New Rd. *C Crook* —2A **18**
New Rd. *Eve* —2B **28**
New Rd. *Sand* —5D **2**
New Rd. *Tong* —3E **24**
Newton Rd. *F'boro* —1C **16**
Newton Way. *Tong* —2D **24**
New Wokingham Rd. *Wokgm &*
　Crowt —1D **2**
Newtown Rd. *Sand* —5E **2**
Nicotiana Ct. *C Crook* —7H **29**
(off Rye Croft)
Nightingale Clo. *F'boro* —1F **15**
Nightingale Dri. *Myt* —4F **17**
Nightingale Gdns. *Sand* —5E **2**
Nightingale Rd. *Ash* —5H **21**
Nightjar Clo. *Ews* —1A **22**
Norman Ct. *Farnh* —1F **27**
Normandy Barracks. *Alder*
　—4K **19**
Norris Hill Rd. *Fleet* —7B **14**
North Av. *Farnh* —2G **23**
Northbrook Rd. *Alder* —1A **24**
North Clo. *Alder* —7D **20**
North Clo. *F'boro* —6K **9**
Northcote Rd. *Ash V* —1E **20**
Northcote Rd. *F'boro* —1J **15**
North Dri. *Brkwd* —7D **12**
N. Farm Rd. *F'boro* —6J **9**
Northfield. *Light* —5C **6**
Northfield Clo. *Alder* —7C **20**
Northfield Clo. *C Crook* —3B **18**
Northfield Rd. *C Crook* —2A **18**
N. Fryerne. *Yat* —5A **2**
Northgate Dri. *Camb* —6F **5**
N. Gate Rd. *F'boro* —5B **16**
North La. *Alder* —5C **20**
North Mall. *Fleet* —2J **29**
Northmead. *F'boro* —3A **16**
North Rd. *Alder* —7C **20**
North Rd. *Ash V* —4E **20**
N. Side. *Tong* —2E **24**
Northtown Trad. Est. *Ald*
　—7D **20**
Norton Rd. *Camb* —5H **1**
Norwich Av. *Camb* —3D **10**
Nuffield Dri. *Owl* —4J **3**
Nursery Clo. *Fleet* —7C **14**
Nursery Clo. *Frim G* —7E **10**
Nutbourne. *Farnh* —2J **23**
Nuthatch Clo. *Ews* —2A **22**
Nutley Clo. *Yat* —1A **8**
Nutmeg Ct. *F'boro* —2F **15**
Nutshell La. *Farnh* —3F **23**

Oak Av. *Owl* —4G **3**
Oak Clo. *F'boro* —6B **16**
Oak Ct. *Farnh* —1E **26**
Oaken Copse. *C Crook* —4A **18**
Oaken Copse Cres. *F'boro*
　—7A **10**
Oak Farm Clo. *B'water* —1F **9**
Oakfield Rd. *B'water* —2H **9**
Oakfields. *Camb* —1A **10**
Oak Gro. Cres. *Col T* —7H **3**
Oakland Av. *Farnh* —4H **23**
Oaklands. *Yat* —7A **2**
Oaklea. *Ash V* —3F **21**
Oakley Dri. *Fleet* —3K **29**
Oakley Rd. *Camb* —2A **10**
Oakridge. *W End* —7G **7**
Oaks, The. *F'boro* —4G **15**
Oaks, The. *Fleet* —2G **29**
Oaks, The. *Yat* —1A **8**
Oak Tree Clo. *Alder* —1D **24**
Oak Tree Clo. *Ash V* —6E **16**
Oak Tree Clo. *Knap* —5J **13**
Oak Tree Rd. *Knap* —5J **13**
Oaktrees. *Ash* —7E **20**
Oaktrees. *Farnh* —3E **22**

Oaktrees Ct.—Riverside Way

Oaktrees Ct. Ash —7E ***20***
(off Oaktrees)
Oak Tree View. *Farnh* —3H **23**
Oaktree Way. *Sand* —4D **2**
Oakway. *Alder* —1D **24**
Oakway Dri. *Frim* —5D **10**
Oakwood. *C Crook* —7K **29**
Oakwood Ct. *Bisl* —3H **13**
Oakwood Gdns. *Knap* —5H **13**
Oakwood Rd. *W'sham* —1F **7**
Oast Ho. Cres. *Farnh* —3F **23**
Oast Ho. Dri. *Fleet* —3B **14**
Oast Ho. La. *Farnh* —4G **23**
Oast La. *Alder* —2A **24**
Obelisk Way. *Camb* —7B **4**
Oberursel Way. *Alder* —6J **19**
O'Connor Rd. *Alder* —1D **20**
Odiham Rd. *Farnh* —2C **22**
Okingham Clo. *Owl* —3G **3**
Oldacre. *W End* —6G **7**
Old Bisley Rd. *Frim* —3G **11**
Old Brickfield Rd. *Alder* —2A **24**
Oldbury Clo. *Frim* —6E **10**
Old Chapel La. *Ash* —6F **21**
Old Chu. La. *Farnh* —3G **27**
Old Compton La. *Farnh* —7H **23**
Oldcorne Hollow. *Yat* —4C **28**
Old Cove Rd. *Fleet* —4A **14**
Old Cross Tree Way. *Ash* —1H **25**
Old Dean Rd. *Camb* —6C **4**
Olde Farm Dri. *B'water* —7E **2**
Old Farnham La. *Farnh* —2F **27**
Old Frensham Rd. *Lwr Bo* —4G **27**
Old Grn. La. *Camb* —6B **4**
Old Guildford Rd. *Frim G* —2G **17**
Old Guildford Rd. *Pirb* —4J **17**
Old Heath Way. *Farnh* —2F **23**
Oldhouse La. *Bisl* —1H **13**
Oldhouse La. *W'sham & Light* —2C **6**
Old La. *Alder* —5D **20**
(Deadbrook La.)
Old La. *Alder* —2K **23**
(Weybourne Rd.)
Old Orchard, The. *Farnh* —3C **26**
Old Pk. Clo. *Farnh* —3D **22**
Old Pk. La. *Farnh* —2C **22**
(in two parts)
Old Pasture Rd. *Frim* —3E **10**
Old Pharmacy Ct. *Crowt* —1E **2**
Old Pond Clo. *Camb* —5B **10**
Old Portsmouth Rd. *Camb* —1F **11**
Old Pump Ho. Clo. *Fleet* —5A **14**
Old Rectory Dri. *Ash* —6G **21**
Old Rectory Gdns. *F'boro* —3C **16**
Old School Clo. *Ash* —5F **21**
(in two parts)
Old School Clo. *Fleet* —2K **29**
Old School La. *Yat* —3E **28**
Old Welmore. *Yat* —1B **8**
Oldwood Chase. *F'boro* —4E **14**
Orchard Clo. *Ash V* —3F **21**
Orchard Clo. *Bad L* —3A **24**
Orchard Clo. *B'water* —5J **9**
Orchard Clo. *W End* —7E **6**
Orchard End. *Rowl* —7C **26**
Orchard Gdns. *Alder* —1B **24**
Orchard Ga. *Sand* —5E **2**
Orchard Hill. *W'sham* —2E **6**
Orchard Ho. *Tong* —2E **24**
Orchard Rd. *Bad L* —3K **23**
Orchard Rd. *F'boro* —3K **15**
Orchard, The. *Light* —5C **6**
Orchard Way. *Alder* —1B **24**
Orchard Way. *Camb* —4A **10**
Orchid Dri. *Bisl* —2H **13**
Ordnance Rd. *Alder* —6A **20**
Oriel Hill. *Camb* —2C **10**
Orwell Clo. *F'boro* —1H **15**
Osborne Clo. *Frim* —6E **10**
Osborne Ct. *F'boro* —7B **16**
Osborne Dri. *Fleet* —1A **18**
Osborne Dri. *Light* —5B **6**
Osborne Rd. *F'boro* —7B **16**
Osborn Rd. *Farnh* —5G **23**
Osnaburgh Hill. *Camb* —1A **10**
Overdale Rise. *Frim* —3D **10**
Overlord Clo. *Camb* —5B **4**
Overton Clo. *Alder* —3B **24**
Owen Rd. *W'sham* —1E **6**
Owlsmoor Rd. *Owl* —5G **3**
Oxenden Ct. *Tong* —1D **24**
Oxenden Rd. *Tong* —1D **24**
Oxford Rd. *F'boro* —6B **16**
Oxford Rd. *Owl* —3H **3**

Packway. *Farnh* —3H **27**
Paddock Clo. *Camb* —7F **5**
Paddock, The. *Light* —5C **6**
Paget Clo. *Camb* —6G **5**
Palmerston Clo. *F'boro* —4G **15**
Pannells. *Lwr Bo* —5G **27**
Pan's Gdns. *Camb* —2E **10**
Parade Rd. *Frim G* —6J **11**
Parade, The. *Ash V* —4F **21**
Parade, The. *Frim* —6C **10**
Parade, The. *Yat* —1B **8**
Parfitts Clo. *Farnh* —7D **22**
Parish Clo. *Ash* —7G **21**
Parish Clo. *Farnh* —3D **22**
Parish Rd. *F'boro* —7B **16**
Park Av. *Camb* —2B **10**
Park Ct. *Farnh* —6G **23**
Parkers Ct. *Bag* —2K **5**
Park Farm Ind. Est. *Camb* —5B **10**
Park Hill. *C Crook* —6J **29**
Parkhill Clo. *B'water* —2G **9**
Parkhill Rd. *B'water* —2G **9**
Parkland Gro. *Farnh* —1J **23**
Park La. *Camb* —1B **10**
Park Pl. *C Crook* —6J **29**
Park Rd. *Alder* —1A **24**
Park Rd. *Camb* —3A **10**
Park Rd. *F'boro* —6D **16**
Park Rd. *Farnh* —5G **23**
Park Rd. *Sand* —6F **3**
Park Row. *Farnh* —6E **22**
Parkside. *Farnh* —3F **23**
Parkstone Dri. *Camb* —2B **10**
Park St. *Bag* —2K **5**
Park St. *Camb* —7B **4**
Park View. *Bag* —2J **5**
Parkway. *Camb* —3B **10**
Parkway. *Crowt* —1D **2**
Parliamentary Rd. *Pirb* —7B **12**
Parnham Av. *Light* —5E **6**
Parsonage Way. *Frim* —5D **10**
Parsons Clo. *C Crook* —6J **29**
Parsons Cotts. *Ash* —5H **21**
Parsons Field. *Sand* —5E **2**
Partridge Av. *Yat* —3D **28**
Partridge Clo. *Ews* —1A **22**
Partridge Clo. *Frim* —5D **10**
Paschal Rd. *Camb* —5E **4**
Pathfinders, The. *F'boro* —4F **15**
Patten Av. *Yat* —4E **28**
Patterson Clo. *Frim* —3H **11**
Paul Clo. *Alder* —1H **23**
Paul's Field. *Eve C* —1A **28**
Pavilion La. *Alder* —6H **19**
Pavilion Rd. *Alder* —7H **19**
Pavilions End, The. *Camb* —3C **10**
Paviours. *Farnh* —6E **22**
Pawley Clo. *Tong* —2E **24**
Peabody Rd. *F'boro* —6C **16**
Peach Tree Clo. *F'boro* —7K **9**
Pear Tree Av. *Fleet* —1J **29**
Pear Tree La. *Rowl* —7C **26**
Peatmoor Clo. *Fleet* —1H **29**
Peatmore Dri. *Brkwd* —7D **12**
Peddlars Gro. *Yat* —7B **2**
Peel Av. *Frim* —7F **11**
Peel Ct. *F'boro* —7B **16**
Pegasus Av. *Alder* —5D **20**
Pegasus Ct. *Fleet* —1J **29**
Pegasus Rd. *F'boro* —7J **9**
Peggotty Pl. *Owl* —3H **3**
Pembroke B'way. *Camb* —1B **10**
Pembroke Pde. *Yat* —7B **2**
Pembury Pl. *Alder* —7B **20**
Pendragon Way. *Camb* —2J **11**
Penfold Croft. *Farnh* —5J **23**
(in two parts)
Pengilly Rd. *Farnh* —1E **26**
Pennefathers Rd. *Alder* —5J **19**
Pennine Way. *F'boro* —7G **9**
Penns Wood. *F'boro* —6C **16**
Penny Hill Cvn. Pk. *B'water* —7E **28**
Pennypot La. *Chob* —7J **7**
Penrhyn Clo. *Alder* —7A **20**
Penshurst Rise. *Frim* —6E **10**
Pentland Pl. *F'boro* —7H **9**
Percheron Dri. *Knap* —6J **13**
Perowne St. *Alder* —6J **19**
Perring Av. *F'boro* —6H **9**
Perry Dri. *Fleet* —2G **29**
Perryhill Dri. *Sand* —4C **2**
Perry Way. *Light* —6A **6**
Peterhouse Clo. *Owl* —3J **3**
Petworth Clo. *Frim* —6E **10**
Pevensey Way. *Frim* —6F **11**
Pheasant Copse. *Fleet* —1G **29**
Phillips Clo. *Tong* —1D **24**
Phoenix Ct. *Alder* —7K **19**
Pickford St. *Alder* —6A **20**
Picton Clo. *Camb* —6G **5**
Pierrefonde's Av. *F'boro* —2K **15**
Pike Clo. *Alder* —6B **20**
Pilcot Rd. *Crook V* —5F **29**
Pilgrims Clo. *Farnh* —2D **26**
Pilgrims View. *Ash* —1H **25**
Pilgrims Way. *Bisl* —3H **13**
Pine Av. *Camb* —2C **10**
Pine Clo. *Ash V* —2F **21**
Pine Clo. *Sand* —6H **3**
Pine Ct. *Alder* —6K **19**
Pine Dri. *B'water* —3H **9**
Pinefields Clo. *Crowt* —1E **2**
Pine Gro. *C Crook* —3A **18**
Pine Gro. *Lwr Bo* —4H **27**
Pine Gro. *W'sham* —1E **6**
Pinehill Rise. *Sand* —5F **3**
Pinehill Rd. *Crowt* —1E **2**
Pinehurst Av. *F'boro* —5A **16**
Pinehurst Cotts. *F'boro* —5A **16**
Pine Mt. Rd. *Camb* —2C **10**
Pine Ridge Dri. *Lwr Bo* —5E **26**
Pines Rd. *Fleet* —1J **29**
Pine View Clo. *Bad L* —4K **23**
Pinewood Clo. *Sand* —5C **2**
Pinewood Ct. *Fleet* —1K **29**
Pinewood Cres. *F'boro* —2F **15**
Pinewood Gdns. *Bag* —2H **5**
Pinewood Hill. *Fleet* —1K **29**
Pinewood Pk. *F'boro* —7F **9**
Pinewood Rd. *Ash* —5J **21**
Pipers Croft. *C Crook* —7K **29**
Pipers Hatch. *F'boro* —3A **16**
Pipson La. *Yat* —1A **8**
Pipsons Clo. *Yat* —7A **2**
Pirbright Rd. *F'boro* —4B **16**
Pirbright Rd. *Norm* —5K **21**
Pitt Way. *F'boro* —2J **15**
Place Ct. *Alder* —2B **24**
Plantation Row. *Camb* —1A **10**
Plough Rd. *Yat* —6B **2**
Plovers Rise. *Brkwd* —7F **13**
Polden Clo. *F'boro* —7H **9**
Polkerris Way. *C Crook* —4A **18**
Pollard Gro. *Camb* —2H **11**
Polmear Clo. *C Crook* —4A **18**
Pond Croft. *Yat* —7B **2**
Pondtail Clo. *Fleet* —7B **14**
Pondtail Gdns. *Fleet* —7B **14**
Pondtail Rd. *Fleet* —7B **14**
Pond View Clo. *Fleet* —5A **14**
Pool Rd. *Alder* —2B **24**
Poplar Clo. *F'boro* —2F **15**
Poplar Clo. *Myt* —4F **17**
Poplar Vs. Frim G —1E ***16***
(off Beech Rd.)
Poplar Wlk. *Farnh* —2G **23**
Poppyhills Rd. *Camb* —5E **4**
Portesbery Hill Dri. *Camb* —7D **4**
Portesbery Rd. *Camb* —7C **4**
Portland Dri. *C Crook* —7J **29**
Portsmouth Rd. *Frim & Camb* —5C **10**
Port Way. *Bisl* —3H **13**
Potley Hill Rd. *Yat* —7C **2**
Potteries La. *Myt* —4E **16**
Potteries, The. *F'boro* —1G **15**
Potters Cres. *Ash* —5G **21**
Potters Ga. *Farnh* —7D **22**
Potters Ind. Pk. *C Crook* —3B **18**
Pottery Ct. *Wrec* —4C **26**
Pottery La. *Wrec* —4C **26**
Pound Farm La. *Ash* —6J **21**
Pound La. *W'sham* —1D **6**
Pound Rd. *Alder* —7B **20**
Powderham Ct. *Knap* —5K **13**
Poyle Rd. *Tong* —2E **24**
Prentice Clo. *F'boro* —6A **10**
Priest La. *W End* —7D **6**
Primrose Ct. *Ash* —6F **21**
Primrose Dri. *Bisl* —2H **13**
Primrose Gdns. *F'boro* —4H **15**
Primrose Wlk. *Fleet* —1J **29**
Primrose Wlk. *Yat* —3D **28**
Primrose Way. *Sand* —4E **2**
Prince Charles Cres. *F'boro* —6A **10**
Prince Dri. *Sand* —4D **2**
Prince of Wales Ct. Alder —6J ***19***
(off Queen Elizabeth Dri.)
Prince of Wales Wlk. *Camb* —7B **4**
Prince's Av. *Alder* —3A **20**
Princes Mead Shop. Cen. *F'boro* —3A **16**
Princess Way. *Camb* —7B **4**
Princes Way. *Alder* —6K **19**
Princes Way. *Bag* —4K **5**
Prior Croft Clo. *Camb* —2F **11**
Prior End. *Camb* —1F **11**
Prior Rd. *Camb* —1F **11**
Priors Clo. *F'boro* —6K **9**
Priors Ct. *Ash* —7D **20**
Priors Keep. *Fleet* —7A **14**
Prior's La. *B'water* —1D **8**
Priors Wood. *Crowt* —1A **2**
Priory Clo. *Fleet* —3G **29**
Priory Ct. *Camb* —1J **9**
Priory Pk. *Fleet* —2J **29**
Priory St. *F'boro* —3C **16**
Prospect Av. *F'boro* —1A **16**
Prospect Rd. *Ash V* —3F **21**
Prospect Rd. *F'boro* —3K **15**
Prospect Rd. *Rowl* —7B **26**
Prunus Clo. *W End* —7F **7**
Purley Way. *Frim* —6D **10**
Purmerend Clo. *F'boro* —2F **15**
Puttenham Rd. *Seale* —5G **25**
Pyestock Cres. *F'boro* —3F **15**

Quadrant, The. *Ash V* —4F **21**
Quarry Bank. *Light* —5B **6**
Quarry La. *Yat* —1B **8**
Quarters Rd. *F'boro* —5A **16**
Quebec Gdns. *B'water* —2G **9**
Queen Elizabeth Barracks. *C Crook* —7K **29**
Queen Elizabeth Dri. *Alder* —6J **19**
Queen Elizabeth Rd. *Camb* —4C **4**
Queen Mary Av. *Camb* —1K **9**
Queen Mary Clo. *Fleet* —1J **29**
Queen's Av. *Alder* —5K **19**
Queensbury Pl. *B'water* —3F **9**
Queens Clo. *Bisl* —3H **13**
Queens Clo. *F'boro* —7A **16**
Queen's Ct. *F'boro* —7B **16**
Queens La. *Farnh* —2F **23**
Queensmead. *F'boro* —3A **16**
Queen's Pde. Path. *Alder* —2A **20**
Queen's Rd. *Alder* —7J **19**
Queens Rd. *Bisl* —7F **13**
Queens Rd. *Camb* —2A **10**
Queen's Rd. *F'boro* —7B **16**
Queens Rd. *Farnh* —3F **23**
Queen's Rd. *Fleet* —4K **29**
Queen's Rd. *Knap* —5K **13**
Queen St. *Alder* —6C **20**
Queensway. *Frim G* —7F **11**
Queen's Way. *Pirb* —6E **12**
Queen Victoria Ct. *F'boro* —2A **16**
Queen Victoria Rd. *Pirb* —6E **12**
Queen Victoria's Wlk. *Col T* —7J **3**
Quennells Hill. *Wrec* —4B **26**
Quetta Pk. *C Crook* —6A **18**
Quince Dri. *Bisl* —2J **13**
Quinney's. *F'boro* —6B **16**

Rackstraw Rd. *Sand* —4F **3**
Radcliffe Clo. *Frim* —7E **10**
Radford Clo. *Farnh* —4H **23**
Raeburn Way. *Col T* —7G **3**
Rafborough Footpath. *F'boro* —4K **15**
Raglan Clo. *Alder* —7B **20**
Raglan Clo. *Frim* —6F **11**
Railway Cotts. *Bag* —1K **5**
Raleigh Way. *Frim* —3E **10**
Ramillies Clo. *Alder* —1D **20**
Ramillies Rd. *Alder* —1B **20**
Ramsay Clo. *Camb* —6G **5**
Ramsay Rd. *W'sham* —1F **7**
Randell Clo. *B'water* —5H **9**
Randell Ho. *Hawl* —5H **9**
Randolph Dri. *F'boro* —4F **15**
Range Ride. *Camb* —6J **3**
Range View. *Col T* —5H **3**
Rankine Clo. *Bad L* —3K **23**
Rapallo Clo. *F'boro* —3B **16**
Rapley Clo. *Camb* —5E **4**
Rashleigh Ct. *C Crook* —4A **18**
Ratcliffe Rd. *F'boro* —6J **9**
Raven Clo. *Yat* —3D **28**
Ravens Clo. *Knap* —3K **13**
Ravenscroft Clo. *Ash* —5H **21**
Ravenstone Rd. *Camb* —1J **11**
Ravenswood Av. *Crowt* —1B **2**
Ravenswood Dri. *Camb* —1F **11**
Rawdon Rise. *Camb* —1G **11**
Rawlinson Rd. *Camb* —7K **3**
Reading Rd. *Eve* —1A **28**
Reading Rd. *F'boro* —6B **16**
Reading Rd. *Yat* —2D **28**
Reading Rd. N. *Fleet* —1G **29**
Reading Rd. S. *Fleet* —3J **29**
Rebecca Clo. *C Crook* —7H **29**
Recreation Rd. *Rowl* —7B **26**
Rectory Clo. *Sand* —5C **2**
Rectory La. *W'sham* —1D **6**
Rectory Rd. *F'boro* —3B **16**
Redan Gdns. *Alder* —6B **20**
Redan Hill Est. *Alder* —6B **20**
Redan Rd. *Alder* —6B **20**
Redcrest Gdns. *Camb* —1E **10**
Redding Way. *Knap* —6J **13**
Rede Ct. *F'boro* —6B **16**
Redgrave Ct. *Ash* —6E **20**
Red Lion La. *Farnh* —1E **26**
Redmayne Clo. *Camb* —2H **11**
Red Rd. *Light* —7J **5**
Redvers Buller Rd. *Alder* —1B **20**
Redwood Dri. *Camb* —2J **11**
Redwoods Way. *C Crook* —3A **18**
Reed Clo. *Alder* —3C **20**
Reeds Rd., The. *Bourne* —7H **27**
Reeves Rd. *Alder* —7B **20**
Regent Clo. *Fleet* —3K **29**
Regent Ct. *Bag* —3A **6**
Regents Pl. *Sand* —5F **3**
Regent St. *Fleet* —3K **29**
Regent Way. *Frim* —5E **10**
Regiment Clo. *F'boro* —4F **15**
Reidonhill Cotts. *Knap* —5J **13**
Retreat, The. *Fleet* —5H **29**
Revelstoke Av. *F'boro* —1A **16**
Revesby Clo. *W End* —7E **6**
Reynolds Grn. *Col T* —7G **3**
Rhine Banks. *F'boro* —2G **15**
Rhine Barracks. *Alder* —5K **19**
Rhodesia Ter. *Frim G* —6J **11**
Rhododendron Rd. *Frim* —6F **11**
Ribble Pl. *F'boro* —1H **15**
Richard Clo. *Fleet* —4H **29**
Richards Clo. *Ash V* —3F **21**
Richmond Clo. *F'boro* —4G **15**
Richmond Clo. *Fleet* —5J **29**
Richmond Clo. *Frim* —5E **10**
Richmond Ho. *Sand* —6H **3**
Richmond Rd. *Col T* —5H **3**
Rideway Clo. *Camb* —2A **10**
Ridgemount Est. *Frim G* —7H **11**
Ridgeway Clo. *Light* —5B **6**
Ridgeway Pde. *C Crook* —6K **29**
Ridgeway, The. *Brkwd* —7H **13**
Ridgeway, The. *Light* —4C **6**
Ridgewood Dri. *Frim* —3J **11**
Ridgway Hill Rd. *Farnh* —2F **27**
Ridgway Rd. *Farnh* —3F **27**
Ridings, The. *Frim* —3G **11**
Ridley Clo. *Fleet* —4J **29**
Rifle Way. *F'boro* —4F **15**
Rimbault Clo. *Alder* —1C **20**
Ringwood Rd. *B'water* —7F **3**
Ringwood Rd. *F'boro* —7B **10**
Ripon Clo. *Camb* —3J **11**
Ripplesmore Clo. *Sand* —5E **2**
Rise, The. *Crowt* —1C **2**
Riverdale. *Wrec* —3B **26**
River La. *Farnh* —3B **26**
Rivermead Rd. *Camb* —4A **10**
River Rd. *Yat* —1D **28**
River Row Cotts. *Farnh* —3C **26**
Rivers Clo. *F'boro* —6D **16**
Riverside Av. *Light* —4D **6**
Riverside Bus. Pk. *Farnh* —6G **23**
Riverside Clo. *Brkwd* —7G **13**
Riverside Clo. *F'boro* —2J **15**
Riverside Ct. *Farnh* —6F **23**
Riverside Ind. Pk. *Farnh* —6F **23**
Riverside Pk. *Camb* —3K **9**
Riverside Pk. *Farnh* —6G **23**
Riverside Way. *Camb* —3K **9**

Robertson Way—Strawberry Fields

Robertson Way. *Ash* —7E **20**
Roberts Rd. *Alder* —7B **20**
Roberts Rd. *Camb* —7K **3**
Robert Way. *Myt* —4E **16**
Robin Clo. *Ash V* —2F **21**
Robin Hood Clo. *Camb* —3F **11**
Robin Hood Clo. *F'boro* —7K **9**
Robin La. *Sand* —5E **2**
Robin's Bow. *Camb* —2A **10**
Robins Dale. *Knap* —4K **13**
Robins Gro. Cres. *Yat* —3D **28**
Rochester Gro. *Fleet* —3K **29**
Rockery, The. *F'boro* —4G **15**
Rockfield Way. *Col T* —5G **3**
Rock La. *Wrec* —5D **26**
Rodmel Ct. *F'boro* —6D **16**
Rokes Pl. *Yat* —3C **28**
Roman Ride. *Crowt* —1A **2**
Romans Bus. Pk. *Farnh* —6G **23**
Roman Way. *Farnh* —5H **23**
Romany Rd. *Knap* —2K **13**
Romayne Clo. *F'boro* —2K **15**
Romsey Clo. *Alder* —3B **24**
Romsey Clo. *F'boro* —4H **15**
Rookwood Av. *Owl* —3H **3**
Rorkes Drift. *Myt* —3E **16**
Rosary Gdns. *Yat* —7A **2**
Rosebury Dri. *Bisl* —2H **13**
Rosedale. *Alder* —6B **20**
Rosedene Gdns. *Camb* —1J **29**
Rosedene La. *Col T* —7G **3**
Rose Gdns. *F'boro* —4H **15**
Rosemary Av. *Ash V* —7F **17**
Rosemary Clo. *F'boro* —3G **15**
Rosemary Gdns. *B'water* —1F **9**
Rosemary La. *B'water* —7F **3**
Rosemary La. *Rowl* —6B **26**
Rose Wlk. *Fleet* —1J **29**
Rosewood Way. *W End* —7F **7**
Rossmore Gdns. *Alder* —7H **19**
Rothbury Wlk. *Camb* —2H **11**
Rother Clo. *Sand* —5F **3**
Rother Rd. *F'boro* —7B **16**
Rotherwick Ct. *F'boro* —7B **16**
Rothwell Ho. *Crowt* —1F **3**
Rotunda Est. *Alder* —6A **20**
Rounce La. *W End* —7E **6**
Round Clo. *Yat* —1C **8**
Roundway. *Camb* —7H **5**
Roundway Clo. *Camb* —7H **5**
Rounton Rd. *C Crook* —5K **29**
Rowan Chase. *Wrec* —5D **26**
Rowan Clo. *Camb* —5E **4**
Rowan Clo. *Fleet* —1K **29**
Rowan Dale. *C Crook* —6J **29**
Rowans Clo. *F'boro* —5H **9**
Rowcroft Clo. *Ash V* —2F **21**
Rowhill Av. *Alder* —7J **19**
Rowhill Cres. *Alder* —1J **23**
Rowhills. *Farnh* —1G **23**
Rowhills Clo. *Farnh* —1J **23**
Roxburgh Clo. *Camb* —2H **11**
Royal Aerospace Establishment.
F'boro —5A **16**
Royal Aerospace
Establishment Rd. *F'boro*
—6A **16**
Royale Clo. *Alder* —1B **24**
Royal Oak Clo. *Yat* —7A **2**
Royston Cen., The. *Ash V*
—7E **16**
Rubus Clo. *W End* —7F **7**
Rudd Hall Rise. *Camb* —3C **10**
Rufford Clo. *Fleet* —4A **14**
Rugby Clo. *Owl* —4H **3**
Rugosa Rd. *W End* —7F **7**
Runfold St George. *Bad L*
—4A **24**
Runnymede Ct. *F'boro* —7K **9**
Runwick La. *Farnh* —1A **26**
Rushden Way. *Farnh* —2G **23**
Rushmoor Clo. *Fleet* —4K **29**
Rushmoor Ct. *F'boro* —7B **16**
Rushmoor Rd. *Alder* —3G **19**
Ruskin Ct. *Crowt* —1B **2**
Russell Ct. *B'water* —1G **9**
Russet Clo. *Tong* —2D **24**
Russet Gdns. *Camb* —3C **10**
Russet Glade. *Alder* —1G **23**
Russetts Dri. *Fleet* —3K **29**
Rustic Glen. *C Crook* —6J **29**
Ruth Clo. *F'boro* —2F **15**
Rutland Clo. *Alder* —5K **19**
Rutland Ter. *Alder* —5K **19**
Ryan Mt. *Sand* —5D **2**
Rydal Clo. *Camb* —1J **11**

Rydal Clo. *F'boro* —4G **15**
Rydal Dri. *C Crook* —6H **29**
Rydal Pl. *Light* —5C **6**
Ryde Ct. *Alder* —7B **20**
Ryde Gdns. *Yat* —3D **28**
Ryebeck Rd. *C Crook* —6K **29**
Rye Clo. *F'boro* —1H **15**
Rye Clo. *Fleet* —2B **14**
Rye Croft. *F'boro* —3B **14**
Ryecroft Gdns. *B'water* —2H **9**
Rye Gro. *Light* —2G **7**
Ryeland Clo. *Fleet* —3B **14**
Ryelaw Rd. *C Crook* —6K **29**
Ryle Rd. *Farnh* —2E **26**
Ryves Av. *Yat* —4C **28**

Sabre Ct. *Alder* —6H **19**
Saddleback Rd. *Camb* —5D **4**
Saddleback Way. *Fleet* —3A **14**
Saddlewood. *Camb* —2B **10**
Saffron Ct. *F'boro* —3F **15**
St Andrew's Rd. *Farnh* —7E **10**
St Annes Glade. *Bag* —2J **5**
St Augustine's Clo. *Alder*
—7C **20**
St Benedicts Clo. *Alder* —7K **19**
St Catherines Rd. *Frim* —5E **10**
St Christopher's Pl. *F'boro*
—4J **15**
St Christopher's Rd. *F'boro*
—4K **15**
St Clement's Ct. *F'boro* —7A **10**
St Cross Rd. *Farnh* —6F **23**
St Cross Rd. *Frim G* —7F **11**
St David's Clo. *F'boro* —6J **9**
St David's Ct. *Farnh* —2H **23**
St Denys Clo. *Knap* —5K **13**
St George's Clo. *Bad L* —3A **24**
St Georges Ct. *Owl* —3H **3**
St George's Ind. Est. *Camb*
—3A **10**
St George's M. Farnh —6E **22**
(off Bear La.)
St George's Rd. *Alder* —7A **20**
St George's Rd. *Bad L* —3A **24**
(in two parts)
St George's Rd. *Camb* —7C **4**
St George's Rd. *Farnh* —1G **27**
St George's Rd. E. *Alder* —7A **20**
St George's Yd. Farnh —7E **22**
(off Castle St.)
St Helens Cres. *Sand* —5E **2**
St James' Av. *Farnh* —6G **23**
St James' Ct. *Farnh* —6F **23**
St James Rd. *Fleet* —3J **29**
St James' Ter. *Farnh* —6F **23**
St John's Ct. *Brkwd* —7G **13**
St John's Ct. *F'boro* —2G **15**
St John's Rd. *F'boro* —2H **15**
St John's Rd. *Farnh* —2E **26**
St John's Rd. *Sand* —4E **2**
St Joseph's Rd. *Alder* —7K **19**
St Mark's Clo. *F'boro* —6B **16**
St Marks Pl. *Farnh* —2E **22**
St Mary's Clo. *Sand* —5F **3**
St Mary's Gdns. *Bag* —2K **5**
St Mary's Rd. *Ash V* —3F **21**
St Mary's Rd. *Camb* —7B **4**
St Michaels Clo. *Fleet* —7A **14**
St Michael's Rd. *Alder* —7A **20**
St Michael's Rd. *Camb* —1A **10**
St Michael's Rd. *F'boro* —1A **16**
St Michael's Rd. *Sand* —5C **2**
St Nicholas Clo. *Fleet* —2J **29**
St Omer Barracks. *Alder* —3C **20**
St Peters Gdns. *Wrec* —4C **26**
St Peter's Gdns. *Yat* —7A **2**
St Peters Mead. *Ash* —6G **21**
St Peter's Pk. *Alder* —1H **23**
St Peter's Way. *Frim* —7E **10**
St Philips Ct. *Camb* —1K **29**
Salamanca. *F'boro* —3F **15**
Salamanca Pk. *Alder* —5J **19**
Salerno Clo. *Alder* —5K **19**
Sales Ct. *Alder* —7J **19**
Salesian View. *F'boro* —7D **16**
Salisbury Gro. *Myt* —3E **16**
Salisbury Rd. *Ash* —5F **21**
Salisbury Rd. *B'water* —2H **9**
Salisbury Rd. *F'boro* —3B **16**
Salisbury Ter. *Myt* —4F **17**
Saltram Rd. *F'boro* —5D **16**
Salvia Clo. *Bisl* —3H **13**
Samarkand Clo. *Camb* —2G **11**
Sampson's Almshouses. *Farnh*
—1C **26**

San Carlos App. *Alder* —6B **20**
Sandford Ct. *Alder* —7J **19**
Sandford Rd. *Alder* —7J **19**
Sandford Rd. *Farnh* —2E **22**
Sand Hill. *F'boro* —7A **10**
Sand Hill Ct. *F'boro* —7A **10**
Sandhurst-Crowthorne By-Pass.
Sand —1H **9**
Sandhurst La. *B'water* —7E **2**
Sandhurst Rd. *Crowt* —2E **2**
Sandhurst Rd. *Yat* —6C **2**
Sandown Clo. *B'water* —1G **9**
Sandown Cres. *Alder* —2A **24**
Sandown Dri. *Frim* —4C **10**
Sandpit La. *Knap* —2K **13**
Sandringham Way. *Frim* —6E **10**
Sandrock Hill Rd. *Wrec* —4C **26**
Sands Clo. *Seale* —7C **24**
Sands Rd. *Runf* —6B **24**
Sandy Hill Rd. *Farnh* —2D **22**
Sandy La. *Camb* —7D **4**
Sandy La. *C Crook* —7K **29**
Sandy La. *F'boro* —1F **15**
Sandy La. *Sand* —4C **2**
Sankey La. *Fleet* —3C **14**
Santina Clo. *Farnh* —1G **23**
Saunton Gdns. *F'boro* —1K **15**
Saville Gdns. *Camb* —1G **11**
Savoy Gro. *B'water* —3G **9**
Saxon Croft. *Farnh* —1F **27**
Saxony Way. *Yat* —5E **28**
Sayers Clo. *Frim G* —7D **10**
Scarlet Oaks. *Camb* —3D **10**
Scarlett's Rd. *Alder* —5K **19**
School Clo. *Bisl* —2G **13**
School Hill. *Crowt* —1G **3**
School Hill. *Sand* —4D **2**
School Hill. *Seale* —6G **25**
School Hill. *Wrec* —3C **26**
School La. *Bag* —3J **5**
School La. *Ews* —1A **22**
School La. *Lwr Bo* —4E **27**
School La. *W'sham* —1E **6**
School La. *Yat* —3D **28**
School Rd. *Rowl* —7B **26**
School Rd. *W'sham* —1C **6**
Scotland Clo. *Ash V* —3F **21**
Scotland Farm Rd. *Ash V*
—3F **21**
Scotland Hill. *Sand* —4D **2**
Scott's Ct. *F'boro* —7A **10**
Scott's Gro. Clo. *Chob* —7K **7**
Scott's Gro. Rd. *Chob* —1J **13**
Scutley La. *Light* —3F **7**
Seale La. *Putt* —5K **25**
Seale La. *Seale* —5C **24**
(in two parts)
Searle Rd. *Farnh* —2F **27**
Seaton Rd. *Camb* —1A **10**
Sebastopol Rd. *Alder* —6A **20**
Sedgemoor. *F'boro* —7A **10**
Seebys Oak. *Col T* —7H **3**
Sefton Clo. *W End* —7G **7**
Selborne Av. *Alder* —2A **24**
Selborne Clo. *B'water* —7F **3**
Selborne Gdns. *Farnh* —3D **26**
Selwyn Dri. *Yat* —3D **28**
Sepen Meade. *C Crook* —7H **29**
Sett, The. *Yat* —4D **28**
Severn Clo. *Sand* —5F **3**
Severn Rd. *F'boro* —1H **15**
Seymour Ct. *Crowt* —1B **2**
Seymour Ct. *Fleet* —1K **29**
Seymour Dri. *Camb* —5G **5**
Shady Nook. *Farnh* —3E **22**
Shaftesbury Ct. *F'boro* —7B **16**
Shaftesbury Mt. *B'water* —3H **9**
Shaftesbury Rd. *Bisl* —3G **13**
Shakespeare Gdns. *F'boro*
—2G **15**
Shalbourne Rise. *Camb* —1D **10**
Shalden Rd. *Alder* —1C **24**
Shaldon Way. *Fleet* —3A **14**
Shamrock Clo. *Frim* —6C **10**
Shanklin Ct. *Alder* —7B **20**
Shawfield Cotts. *Ash* —6E **20**
Shawfield La. *Ash* —6E **20**
Shawfield Rd. *Ash* —7E **20**
Shaw Pk. *Crowt* —3D **2**
Sheephatch La. *Tilf* —5K **27**
Sheep Ho. *Farnh* —2F **27**
Sheet's Heath La. *Brkwd* —6H **13**
Sheffield Clo. *F'boro* —3J **15**
Shelley Clo. *Fleet* —3K **29**
Shelley Ct. *Camb* —1B **10**
Shelley Rise. *F'boro* —1J **15**
Shelley Wlk. *Yat* —4E **28**

Shepherd & Flock Roundabout.
Farnh —6H **23**
Shepherds Chase. *Bag* —3K **5**
Shepherds Ct. *Farnh* —2F **27**
Shepherds Wlk. *F'boro* —7H **9**
Shepherds Way. *Crowt* —1B **2**
Sheraton Clo. *B'water* —2H **9**
Sherborne Rd. *F'boro* —6C **16**
Sheridan Rd. *Frim* —6C **10**
Sherwin Cres. *F'boro* —6A **10**
Shetland Way. *Fleet* —3A **14**
Shildon Clo. *Camb* —3J **11**
Ship All. *F'boro* —1B **16**
Ship La. *F'boro* —1B **16**
Shire Av. *Fleet* —3B **14**
Shire Clo. *Bag* —3K **5**
Shire Ct. *Alder* —6H **19**
Shires Way. *Yat* —6A **2**
Shirley Pl. *Knap* —4K **13**
Shoe La. *Alder* —2A **24**
Shortdale Rd. *Alder* —3B **24**
Shortheath Crest. *Farnh* —4C **26**
Shortheath Rd. *Farnh* —4D **26**
Short St. *Alder* —6K **19**
Shrivenham Clo. *Col T* —5G **3**
Shrubbery, The. *F'boro* —4G **15**
Shrubbs Hill. *Chob* —3K **7**
Shrubbs La. *Rowl* —6C **26**
Shrublands Dri. *Light* —5C **6**
Sian Clo. *C Crook* —3A **18**
Sidings, The. *Alder* —5B **20**
Sidlaws Rd. *F'boro* —5B **9**
Silver Birch Clo. *C Crook* —6J **29**
Silverdale. *Fleet* —5K **29**
Silver Dri. *Frim* —3H **11**
Silver Glades. *Yat* —5E **28**
Silver Hill. *Col T* —5H **3**
Silver Pk. Clo. *C Crook* —2A **18**
Silverwood Dri. *Camb* —6F **5**
Silvester Way. *C Crook* —6G **29**
Sine Clo. *F'boro* —6A **10**
Sinhurst Rd. *Camb* —2A **10**
Six Bells Roundabout. *Farnh*
—4H **23**
Slade La. *Ash* —4J **21**
Slade Rd. *Brkwd* —7E **12**
Slim Clo. *Alder* —1D **20**
Slim Rd. *Camb* —6A **4**
Smithy's Grn. *W'sham* —1E **6**
Snailslynch. *Farnh* —7G **23**
Snowdon Rd. *F'boro* —2A **16**
Snowdrop Wlk. Fleet —1J **29**
(off Stockton Av.)
Snowdrop Way. *Bisl* —4H **13**
Solartron Rd. *F'boro* —4A **16**
Somerset Ct. *F'boro* —6B **16**
Somerset Rd. *F'boro* —6B **16**
Somerville Cres. *Yat* —7B **2**
Sonninge Clo. *Col T* —5G **3**
Sorrel Clo. *F'boro* —2F **15**
Sorrel Dri. *Light* —6A **6**
Southampton Clo. *B'water* —7F **3**
Southampton St. *F'boro* —7A **16**
S. Atlantic Dri. *Alder* —5B **20**
Sth Av. *Farnh* —3G **23**
Southby Dri. *Fleet* —6A **14**
Southcote Dri. *Camb* —1F **11**
South Dri. *Brkwd* —7D **12**
Southern Rd. *Camb* —7B **4**
Southern Way. *F'boro* —6A **16**
Southern Way. *Farnh* —1F **27**
S. Farm La. *Bag & Light* —3B **6**
South Gro. *Fleet* —4A **14**
Southlands Clo. *Ash* —7F **21**
Southlands Rd. *Ash* —7F **21**
South La. *Ash* —7G **21**
South Mall. *Fleet* —2J **29**
S. Meadow. *Crowt* —2G **3**
Southmead Rd. *Alder* —1A **24**
South Rd. *Ash V* —4F **21**
South Rd. *Bisl* —3G **13**
South Rd. *Crowt* —2H **3**
South Side. *Tong* —2E **24**
South St. *F'boro* —6D **16**
South St. *Farnh* —7F **23**
Sth Wlk. *Alder* —6C **20**
Southwark Clo. *Yat* —3E **28**
Southway. *Camb* —2A **10**
Southwell Pk. Rd. *Camb* —1A **10**
Southwick. *Bag* —4A **5**
Southwood Bus. Cen. *F'boro*
—3G **15**
Southwood Cres. *Swd P*
—3G **15**
Southwood La. *F'boro* —4G **15**
Southwood La. *Fleet* —4C **14**
Southwood Rd. *F'boro* —4G **15**

Southwood Village Cen. *F'boro*
—4G **15**
Sovereign Dri. *Camb* —6G **5**
Sparrowhawk Clo. *Ews* —2A **22**
Sparrow Row. *W End* —1J **7**
Sparvell Rd. *Knap* —6J **13**
Sparvell Way. *Camb* —7B **4**
Spencer Clo. *C Crook* —3B **18**
Spencer Clo. *Frim G* —1D **16**
Spinney, The. *Camb* —7H **5**
Spinney, The. *Fleet* —3G **29**
Spinney, The. *Yat* —4C **28**
Spoil La. *Tong* —2E **24**
Spokane Clo. *Alder* —1J **23**
Springcross Av. *B'water* —3G **9**
Springfield. *Light* —5E **6**
Springfield La. *Fleet* —2H **29**
Springfield Rd. *Ash V* —3F **21**
Springfield Rd. *Camb* —1F **11**
Spring Gdns. *Camb* —1F **11**
Spring Gdns. *F'boro* —7K **9**
Springlakes Ind. Est. *Alder*
—5D **20**
Spring La. *Farnh* —2D **22**
Spring La. *W End* —3D **22**
Springmead Ct. *Sand* —4H **3**
Spring Woods. *Fleet* —4J **29**
Spring Woods. *Sand* —4F **3**
Spruce Dri. *Light* —6B **6**
Spruce Way. *Fleet* —6C **14**
Spurs Ct. *Alder* —6H **19**
Spur, The. *Knap* —5J **13**
Square, The. *Bag* —2K **5**
Square, The. *Camb* —7B **4**
Square, The. *Light* —4D **6**
Square, The. *Rowl* —7B **26**
Squirrel Clo. *Sand* —5E **2**
Squirrel La. *F'boro* —2K **15**
Stable Croft. *Bag* —3J **5**
Stable View. *Yat* —6A **2**
Staff College. *Camb* —7B **4**
Staff College Rd. *Camb* —7B **4**
Stafford Lake Rd. *Knap* —5G **13**
Staff Rd. *Alder* —6B **20**
Stake La. *F'boro* —3K **15**
Stamford Av. *Frim* —5E **10**
Stanhope Rd. *Camb* —2J **9**
Stanley Dri. *F'boro* —4F **15**
Stanton Dri. *Fleet* —3H **29**
Star La. *Ash* —6E **20**
Star Post Rd. *Camb* —5D **4**
Station App. *Ash V* —1F **21**
Station App. *B'water* —2H **9**
Station App. *Camb* —3A **16**
Station App. *Fleet* —4A **14**
Station App. *F'boro* —6B **10**
Station Hill. *Farnh* —7F **23**
Station Ind. Est. *Fleet* —4A **14**
Station Rd. *Alder* —6A **20**
Station Rd. *Bag* —1K **5**
Station Rd. *F'boro* —3A **16**
Station Rd. *Frim* —5B **10**
Station Rd. E. *Ash V* —1E **20**
Station Rd. W. *Ash V* —7E **16**
Station View. *Ash V* —7F **17**
Steele's Rd. *Alder* —6A **14**
Steep Hill. *Chob* —2K **7**
Steerforth Copse. *Owl* —3H **3**
Stephendale Rd. *Farnh* —5G **23**
Stevens Hill. *Yat* —1B **8**
Stewards Rise. *Wrec* —3C **26**
Stilwell Clo. *Yat* —7B **2**
Stirling Clo. *F'boro* —3A **16**
Stirling Clo. *Frim* —4D **10**
Stockbridge Dri. *Alder* —3B **24**
Stockbridge Way. *Yat* —2A **8**
Stockton Av. *Fleet* —1J **29**
Stockton Pk. *Fleet* —1J **29**
Stockwood Rise. *Camb* —1E **10**
Stockwood Way. *Farnh* —2J **23**
Stoke Hills. *Farnh* —6F **23**
Stonegate. *Camb* —7H **5**
Stonehill Rd. *Light* —4B **6**
Stonehouse Rise. *Frim* —5D **10**
Stoneleigh Ct. *Frim* —5E **10**
Stone St. *Alder* —1C **24**
Stoney Clo. *Yat* —2A **8**
Stoneyfields. *Farnh* —1H **27**
Stookes Way. *Yat* —5D **28**
Stourhead Clo. *F'boro* —2K **15**
Stovold's Way. *Alder* —1J **23**
Stratford Ct. *Farnh* —2F **27**
Stratford Rd. *Ash V* —7E **16**
Strathmore Ct. *Camb* —7C **4**
Stratton Wlk. *F'boro* —7K **9**
Strawberry Clo. *Brkwd* —7E **12**
Strawberry Fields. *Bisl* —3H **13**

Strawberry Rise. *Bisl* —2H **13**
Stream Cotts. *Frim* —5C **10**
  (off Grove Cross Rd.)
Stream Farm Clo. *Lwr Bo*
  —3G **22**
Streamside. *Fleet* —3K **29**
Stream Valley Rd. *Lwr Bo*
  —4F **22**
Streets Heath. *W End* —6G **7**
  (in two parts)
Street, The. *Crook V* —6G **29**
Street, The. *Tong* —4E **24**
Street, The. *Wrec* —3C **26**
Stroud La. *Crook V* —6F **29**
Stuart Clo. *F'boro* —2K **15**
Stubbs Folly. *Col T* —6G **3**
Stubbs Moor Rd. *F'boro* —2J **15**
Sturdee Clo. *Frim* —5D **10**
Sturt Rd. *Farnh* —2E **22**
Sturt Rd. *Frim G* —2E **16**
Suffolk Clo. *Bag* —3K **5**
Sullivan Clo. *F'boro* —3A **16**
Sullivan Rd. *Camb* —1K **9**
Summerfield La. *Fren* —7E **26**
Summer Gdns. *Camb* —1H **11**
Summit Av. *Fleet & Farnh*
  —3E **14**
Sumner Ct. *Farnh* —6F **23**
Sumner Rd. *Farnh* —6F **23**
Sundew Clo. *Light* —5E **6**
Sunnybank Rd. *F'boro* —1G **15**
Sunnydell La. *Wrec* —4D **26**
Sunny Hill Rd. *Alder* —6G **19**
Sunnyside. —1H **29**
Sunny View Clo. *Alder* —7B **20**
Sun Ray Est. *Sand* —7E **22**
Surbiton Rd. *Camb* —4F **5**
Surrey Av. *Camb* —2K **9**
Surridge Ct. *Bag* —3K **5**
Sussex Clo. *Knap* —5K **13**
Sussex Ct. *Knap* —4K **13**
Sussex Gdns. *Fleet* —3A **14**
Sussex Pl. *Knap* —5K **13**
Sussex Rd. *Knap* —5K **13**
Sutton Rd. *Camb* —4F **5**
Swaledale Gdns. *Fleet* —3A **14**
Swale Rd. *F'boro* —1H **15**
Swallow Clo. *Yat* —3D **28**
Swallow Rise. *Knap* —4H **13**
Swan La. *Sand* —6E **2**
Swan Way. *C Crook* —4G **29**
Swift La. *Bag* —2A **6**
Swift Rd. *Farnh* —2F **23**
Swift's Clo. *Farnh* —7A **24**
Swingate Rd. *Farnh* —2G **23**
Swiss Clo. *Wrec* —6D **26**
Switchback La. *Rowl* —7D **26**
Sycamore Clo. *Fleet* —5D **10**
Sycamore Clo. *Sand* —5E **2**
Sycamore Cotts. *Camb* —3A **10**
  (off Frimley Rd.)
Sycamore Cres. *C Crook*
  —5H **29**
Sycamore Dri. *Ash V* —1F **21**
Sycamore Dri. *Frim* —4D **10**
Sycamore Dri. *Wrec* —4D **26**
Sycamore Rd. *F'boro* —5B **16**
Sycamores, The. *B'water* —1E **8**
Sycamores, The. *F'boro* —4C **16**
Sylvan Ridge. *Sand* —4D **2**
Sylvan Way. *C Crook* —6J **29**
Syon Pl. *F'boro* —3C **16**

Tadpole La. *Ews* —7A **18**
Talavera Pk. *Alder* —5K **19**
Talbot Clo. *Myt* —3F **17**
Talbot Pl. *Bag* —2K **5**
Talbot Rd. *Farnh* —2E **26**
Talgarth Dri. *F'boro* —5C **16**
Talisman Clo. *Crowt* —1A **2**
Tamworth Dri. *Fleet* —3A **14**
Tangier Ct. *Alder* —6H **19**
Tanglewood Ride. *W End* —6E **6**
Tank Rd. *Sand* —1J **9**
Tanners Yd. *Bag* —2K **5**
Tarbat Clo. *Sand* —5G **3**
Tarn Clo. *F'boro* —5H **15**
Tarragon Clo. *F'boro* —3F **15**
Tavistock Gdns. *F'boro* —7A **10**
Tavistock Rd. *Fleet* —2G **29**
Tawny Croft. *Sand* —5H **3**
Tay Clo. *F'boro* —1H **15**
Tees Clo. *F'boro* —1H **15**
Tekels Av. *Camb* —1C **10**
Tekels Pk. *Camb* —1D **10**
Tekels Way. *Camb* —3D **10**

Templar Clo. *Sand* —5D **2**
Ten Acre Wlk. *Rowl* —6C **26**
Tenby Rd. *Frim* —5D **10**
Terrace, The. *Camb* —1K **9**
Terrace, The. *Crowt* —1H **3**
Tesimond Dri. *Yat* —3C **28**
Textile Est. *Yat* —6A **2**
Thames Clo. *F'boro* —1H **15**
Theal Clo. *Col T* —5G **3**
Theobalds Way. *Frim* —3H **11**
Thibet Rd. *Sand* —5F **3**
Thirlmere Clo. *F'boro* —3H **15**
Thirlmere Cres. *C Crook* —6H **29**
Thirlmere Wlk. *Camb* —2J **11**
Thorburn Chase. *Col T* —7H **3**
Thorn Clo. *Wrec* —6D **26**
Thorndown La. *W'sham* —2E **6**
Thornfield Grn. *B'water* —3J **9**
Thornhill Rd. *Alder* —4C **20**
Thorn Rd. *Wrec* —6D **26**
Thornyhurst Rd. *Myt* —3F **17**
Thorold Rd. *Farnh* —6F **23**
Threshers Corner. *Fleet* —3B **14**
Three Stiles Rd. *Farnh* —6C **22**
Throgmorton Rd. *Yat* —4A **28**
Thundery Hill. *Seale* —5E **24**
Thurbans Rd. *Farnh* —3D **26**
Thurston Ho. *Fleet* —2H **29**
Thyme Ct. *F'boro* —2F **15**
Tichborne Clo. *B'water* —1G **9**
Tichborne Clo. *Frim* —3E **10**
Tichborne Pl. *Alder* —1C **24**
Tile Barn Clo. *F'boro* —2K **15**
Tilford Rd. *Farnh & Tilf* —1G **27**
Timber Bank. *Frim G* —1F **17**
Timber Clo. *Farnh* —7C **22**
Timberley Pl. *Crowt* —1B **2**
Tindal Clo. *Yat* —7A **2**
Tintagel Dri. *Frim* —5E **10**
Tiverton Way. *Frim* —5E **10**
Toad La. *B'water* —2H **9**
Tockington Ct. *Yat* —7A **2**
Tolpuddle Way. *Yat* —1C **8**
Tomlins Av. *Frim* —4E **10**
Tomlinscote Way. *Frim* —4F **11**
Tongham Meadows. *Tong*
  —2E **24**
Tongham Rd. *Alder* —1C **24**
Tongham Rd. *Farnh* —5B **24**
Topiary, The. *F'boro* —4H **15**
Toplady Pl. *Farnh* —2F **23**
Tor Rd. *Farnh* —7C **22**
Totford La. *Seale* —6A **26**
Totland Clo. *F'boro* —1K **15**
Tottenham Wlk. *Owl* —4G **3**
Tournai Clo. *Alder* —1D **20**
Tower Hill. *F'boro* —4K **15**
Towers Dri. *Crowt* —1E **2**
Townside Ct. *Camb* —7C **4**
Trafalgar Ct. *Farnh* —1E **26**
Trafalgar Way. *Camb* —2J **9**
Trafford Rd. *Frim* —6C **10**
Travis La. *Sand* —6F **3**
Trebor Av. *Farnh* —1G **27**
Tredenham Clo. *F'boro* —7B **16**
Treeside Dri. *Farnh* —2H **23**
Tree Tops Av. *Camb* —5F **5**
Tregolls Dri. *F'boro* —4B **16**
Tremayne Wlk. *Camb* —2H **11**
Trent Clo. *F'boro* —1H **15**
Trenton Clo. *Frim* —4F **11**
Tresham Cres. *Yat* —3C **28**
Trimmers Clo. *Farnh* —2E **22**
Trimmers Field. *Farnh* —1H **27**
Tringham Clo. *W End* —6G **7**
Trinity. *Owl* —3H **3**
Trinity Fields. *Farnh* —3D **22**
Trinity Rd. *Knap* —5J **13**
Trotwood Clo. *Owl* —3H **3**
Troutbeck Wlk. *Camb* —3J **11**
Trunk Rd. *F'boro* —3F **15**
Tudor Ct. *Ash* —7E **20**
Tudor Dri. *Yat* —2A **8**
Tudor Way. *C Crook* —7K **29**
Turf Hill Rd. *Camb* —5E **4**
Turner Pl. *Col T* —7G **3**
Turnstone End. *Yat* —3D **28**
Turnvill Clo. *Light* —4B **6**
Tuscam Way. *Camb* —3J **9**
Tuscany Way. *Yat* —5E **28**
Tweed Clo. *F'boro* —1H **15**
Tweedsmuir Clo. *F'boro* —4G **15**
Twelve Acre Cres. *F'boro*
  —2G **15**
Tweseldown Rd. *C Crook*
  —4A **18**

Twisell Thorne. *C Crook* —7H **29**
Twyford La. *Wrec* —4E **26**
Twynham Rd. *Camb* —1B **10**
Tyne Clo. *F'boro* —1H **15**

Ullswater Av. *F'boro* —4H **15**
Ullswater Clo. *Farnh* —3D **22**
Ullswater Clo. *Light* —4C **6**
Ullswater Wlk. *Light* —4C **6**
Underhill La. *Lwr Bo* —3E **26**
Underwood Av. *Ash* —7D **20**
Union Clo. *Owl* —3H **3**
Union Rd. *Deep* —6J **11**
Union Rd. *Farnh* —7F **23**
Union St. *Alder* —6K **19**
Union St. *F'boro* —3K **15**
Union St. *Pirb* —7B **12**
Union Ter. *Alder* —6K **19**
Updown Hill. *W'sham* —1E **6**
Upland Rd. *Camb* —6C **4**
Uplands Clo. *Sand* —5E **2**
Uplands Rd. *Farnh* —1F **27**
Up. Bourne La. *Wrec* —5D **26**
Up. Bourne Vale. *Wrec* —5D **26**
Up. Broadmoor Rd. *Crowt*
  —1F **3**
Up. Charles St. *Camb* —7B **4**
Up. Chobham Rd. *Camb* —3F **11**
Up. Church La. *Farnh* —7E **22**
Up. College Ride. *Camb* —5D **4**
Up. Elms Rd. *Alder* —7K **19**
Up. Gordon Rd. *Camb* —1C **10**
Up. Hale Rd. *Farnh* —2D **22**
Up. Old Pk. La. *Farnh* —4C **22**
Up. Park Rd. *Camb* —1C **10**
Up. Pinewood Rd. *Ash* —5J **21**
Up. St Michael's Rd. *Alder*
  —1A **24**
Up. South View. *Farnh* —6F **23**
Upper St. *Fleet* —2J **29**
Up. Union St. *Alder* —6K **19**
Up. Union Ter. *Alder* —6K **19**
Up. Verran Rd. *Camb* —3C **10**
Upper Way. *Farnh* —2D **26**
Up. Weybourne La. *Farnh*
  —1G **23**
Upton Clo. *F'boro* —4C **16**

Vale Ct. *Ash V* —1F **21**
Vale Rd. *Ash V* —1F **21**
Vale Rd. *Camb* —2K **9**
Vale Wood Dri. *Lwr Bo* —6G **27**
Valley End Rd. *W End* —1H **7**
Valley La. *Lwr Bo* —4F **27**
Valley Rd. *Frim* —6F **11**
Valley View. *Sand* —6D **2**
Valroy Clo. *Camb* —7C **4**
Varney Clo. *F'boro* —2H **15**
Veitch Rd. *Camb* —6K **4**
Velmead Clo. *Fleet* —1A **18**
Velmead Rd. *Fleet* —4K **29**
Ventnor Ter. *Alder* —7B **20**
Verge Wlk. *Alder* —2K **23**
Verne, The. *C Crook* —6K **29**
Vernon Ct. *Farnh* —7D **22**
Veronica Dri. *Crook V* —6G **29**
Verran Rd. *Camb* —3C **10**
Vesey Clo. *F'boro* —2K **15**
Viburnum Ct. *W End* —7F **7**
Vicarage Clo. *Farnh* —3G **27**
Vicarage Gdns. *C Crook* —7J **29**
Vicarage Hill. *Farnh & Lwr Bo*
  —3G **27**
Vicarage La. *Crowt & Bag* —1F **5**
Vicarage La. *Farnh* —7E **22**
Vicarage La. *Bourne* —2D **22**
Vicarage La. *Up Hal* —2F **23**
Vicarage La. *Yat* —2E **28**
Vicarage Rd. *Bag* —2H **5**
Vicarage Rd. *B'water* —2H **9**
Vicarage Rd. *Chob* —5K **7**
Vicarage Rd. *Yat* —2D **28**
Victoria Av. *Camb* —1K **9**
Victoria Ct. *Bag* —4K **5**
Victoria Clo. *Fleet* —2J **29**
Victoria Dri. *B'water* —2F **9**
Victoria Gdns. *Fleet* —2J **29**
Victoria Hill. *Fleet* —2H **29**
Victoria Rd. *Alder* —6K **19**
Victoria Rd. *F'boro* —3K **15**
Victoria Rd. *Farnh* —7F **23**
Victoria Rd. *Fleet* —2H **29**
Victoria Rd. *Knap* —4K **13**
Victoria Rd. *Owl* —4H **3**

Victoria Ter. *Frim* —5J **11**
Vigo La. *Yat* —4E **28**
Village Way. *Yat* —6A **2**
Vine Clo. *Alder* —2K **19**
Vine Clo. *Wrec* —6D **26**
Vine Ho. *Myt* —4F **17**
Vine St. *Alder* —7K **19**
Vine Way. *Wrec* —5D **26**
Virginia Gdns. *F'boro* —5B **16**
Vivian Clo. *C Crook* —2A **18**
Vulcan Clo. *Sand* —6D **2**
Vulcan Way. *Sand* —6E **2**

Wadham. *Owl* —4J **3**
Waggoners Hollow. *Bag* —3K **5**
Wagon N. *Farnh* —7E **22**
Wakefords Copse. *C Crook*
  —5A **18**
Wakefords Pk. *C Crook* —5A **18**
Waldorf Heights. *B'water* —3G **9**
Walker's Ridge. *Camb* —2D **10**
Waller Rd. *Alder* —1B **24**
Wallington Rd. *Camb* —4F **5**
Walmer Clo. *Frim* —7F **11**
Walnut Clo. *Alder* —1K **23**
Walnut Clo. *Yat* —2A **8**
Waltham Clo. *Owl* —4G **3**
Walton Clo. *Fleet* —3J **29**
Wandle Clo. *Ash* —7F **21**
Wansdyke Clo. *Frim* —6E **10**
Wantage Rd. *Col T* —5G **3**
Warbury La. *Knap* —2K **13**
Wardle Clo. *Bag* —2K **5**
Wargrove Dri. *Col T* —5G **3**
Warren Clo. *Fleet* —1A **18**
Warren Clo. *Sand* —6D **2**
Warren Rise. *Frim* —4D **10**
Warren, The. *Alder* —7J **19**
Warren, The. *Farnh* —1H **23**
Warrington M. *Alder* —1H **23**
Warwick Clo. *Alder* —1B **24**
Warwick Clo. *Camb* —3G **11**
Warwick Rd. *Ash V* —7F **17**
Wasdale Clo. *Owl* —3G **3**
Watchetts Dri. *Camb* —4B **10**
Watchetts Lake Clo. *Camb*
  —3C **10**
Watchetts Rd. *Camb* —2A **10**
Watchmoor Pk. *Camb* —3K **9**
Watchmoor Rd. *Camb* —2K **9**
Waterers Rise. *Knap* —4K **13**
Waterhouse Mead. *Col T* —6G **3**
Water La. *Bisl* —3J **7**
Water La. *C Crook* —7G **29**
Water La. *F'boro* —7K **9**
Water La. *Farnh* —5H **23**
Waterloo Clo. *Camb* —6G **5**
Waterloo Pl. *Crowt* —1E **2**
Waterloo Rd. *Alder* —7B **20**
Waterloo Rd. *Crowt* —1D **2**
Water Rede. *C Crook* —7H **29**
Waterside Ct. *Fleet* —4A **14**
Waterside M. *Fleet* —4A **14**
Watery La. *Chob* —4K **7**
Watts Rd. *F'boro* —2J **15**
Waverley Av. *Fleet* —1J **29**
Waymfiete La. *Farnh* —7C **22**
Ways End. *Camb* —2D **10**
Weavers Gdns. *Farnh* —3C **26**
Weavers Yd. *Farnh* —7E **22**
Webb Clo. *Bag* —4K **5**
Weir Av. *F'boro* —4K **15**
Weir Clo. *F'boro* —4K **15**
Welbeck Clo. *F'boro* —4J **15**
Weldon Clo. *C Crook* —3A **18**
Wellburn Rd. *Sand* —6E **2**
Well Clo. *Camb* —2A **10**
Weller Dri. *Camb* —3B **10**
Wellesley Clo. *Ash V* —1E **20**
Wellesley Clo. *Bag* —2H **5**
Wellesley Dri. *Crowt* —1B **2**
Wellesley Garden. *Farnh* —2F **23**
Wellesley Ga. *Alder* —7A **20**
Wellesley Rd. *Alder* —5G **19**
Wellesley Rd. *Ash V* —2E **20**
  (in two parts)

Wellesley Rd. *F'boro* —7G **15**
Wellington Av. *Alder* —6H **19**
Wellington Av. *Fleet* —5A **14**
Wellington Bus. Pk. *Crowt*
  —1B **2**
Wellington Cen., The. *Alder*
  —6K **19**
Wellington Clo. *Sand* —5F **3**
Wellington Gdns. *Alder* —7J **19**
Wellingtonia Av. *Camb* —1J **11**
Wellingtonia Av. *Crowt* —1A **2**
Wellingtonia Roundabout. *Crowt*
  —1B **2**
Wellington La. *Farnh* —2G **23**
Wellington Rd. *Crowt* —1F **3**
Wellington Rd. *Sand* —5E **2**
Wellington St. *Alder* —6K **19**
Wellington Ter. *Sand* —5F **3**
Wells Cotts. *Farnh* —3D **26**
Wendover Dri. *Frim* —3H **11**
Wensleydale Dri. *Camb* —1J **11**
Wensley Dri. *Fleet* —1K **29**
Wentworth Clo. *Ash V* —1F **21**
Wentworth Clo. *Frim* —3J **23**
Wentworth Clo. *Yat* —1A **8**
Wentworth Cres. *Ash V* —2F **21**
  (in two parts)
Wessex Pl. *Farnh* —1F **27**
West Av. *Farnh* —3G **23**
Westbourne Rd. *Col T* —6H **3**
Westbury Av. *Fleet* —7C **14**
Westbury Clo. *Fleet* —7B **14**
Westbury Gdns. *Farnh* —5H **23**
Westbury Gdns. *Fleet* —7C **14**
West Clo. *Farnh* —2G **23**
W. End Gro. *Farnh* —7D **22**
Westerdale Dri. *Frim* —3G **11**
Western Rd. *Alder* —7H **19**
Westfield Ct. *Fleet* —2K **29**
Westfield La. *Wrec* —4B **26**
Westfield Rd. *Camb* —4A **10**
W. Fryerne. *Yat* —6A **2**
W. Glade. *F'boro* —3G **15**
West Grn. *Yat* —2D **28**
W. Heath Rd. *F'boro* —3J **15**
W. Hill Clo. *Brkwd* —7J **13**
Westland Ct. *F'boro* —3G **15**
Westmead. *F'boro* —4A **16**
Westminster Clo. *Fleet* —1K **29**
Westmorland Dri. *Camb* —3G **11**
Weston Gro. *Bag* —3K **5**
Westover Rd. *Fleet* —6A **14**
West Ring. *Tong* —2E **24**
West Rd. *F'boro* —1C **10**
Westside Ct. *W End* —7F **7**
West St. *Farnh* —1C **26**
Westwood Rd. *W'sham* —1D **6**
Wetherby Gdns. *F'boro* —7B **16**
Weybank Clo. *Farnh* —7F **23**
Weybourne Rd. *Farnh & Alder*
  —4H **23**
Weybridge Mead. *Yat* —6B **2**
Wey Clo. *Ash* —7F **21**
Wey Clo. *Camb* —1A **10**
Weydon Farm La. *Farnh* —1E **26**
Weydon Hill Clo. *Farnh* —2E **26**
Weydon Hill Rd. *Farnh* —2E **26**
Weydon La. *Farnh* —3C **26**
Weydon Mill La. *Farnh* —1E **26**
Weyside. *Farnh* —7F **23**
Weywood Clo. *Farnh* —2J **23**
Weywood La. *Farnh* —2H **23**
Wharfenden Way. *Frim G*
  —1E **16**
Wharf Rd. *Ash V* —4F **21**
Wharf Rd. *Frim G* —1E **16**
Wharf Way. *Frim G* —1F **17**
Whetstone Rd. *F'boro* —3F **15**
Whin Holt. *Fleet* —5K **29**
Whins Clo. *Camb* —2A **10**
Whins Dri. *Camb* —2A **10**
Whistler Gro. *Col T* —7G **3**
Whitby Clo. *F'boro* —6D **16**
Whitchurch Clo. *Alder* —3C **24**
White Acres Rd. *Myt* —3E **16**
Whitebeam Gdns. *F'boro*
  —4F **15**
Whitebines. *Farnh* —7G **23**
White Cottage Clo. *Farnh*
  —3G **23**
White Hart Ind. Est. *B'water*
  —2H **9**
Whitehill Clo. *Camb* —6C **4**
White Ho. Gdns. *Yat* —2A **8**
White Ho. Wlk. *Farnh* —2G **23**
White La. *Ash & Tong* —7H **21**

White Lion Way—Zinnia Dri.

White Lion Way. *Yat* —6A **2**
White Post La. *Wrec* —6D **26**
White Rd. *Col T* —7J **3**
White Rose La. *Lwr Bo* —3F **27**
Whites Rd. *F'boro* —6D **16**
Whitethorn Clo. *Ash* —7G **21**
Whitlet Clo. *Farnh* —1E **26**
Whitley Rd. *Yat* —2A **8**
Whitmoor Rd. *Bag* —2A **6**
Whitmore Clo. *Owl* —5G **3**
Whitmore Grn. *Farnh* —3H **23**
Whittle Clo. *Sand* —4D **2**
Whittle Cres. *F'boro* —7J **9**
Whyte Av. *Alder* —1C **24**
Wicket Hill. *Wrec* —4D **26**
Wickham Clo. *C Crook* —5H **29**
Wickham Ct. *C Crook* —5H **29**
Wickham Pl. *C Crook* —5H **29**
Wickham Rd. *Camb* —5D **4**
Wickham Rd. *C Crook* —5H **29**
Wilcot Clo. *Bisl* —3H **13**
Wilcot Gdns. *Bisl* —3H **13**
Wilderness Rd. *Frim* —4D **10**
Wilders Clo. *Frim* —3D **10**
Wildwood Gdns. *Yat* —5E **28**
William Farthing Clo. *Alder*
—6K **19**
William Hitchcock Ho. *F'boro*
—6A **10**
Williams Way. *Fleet* —6B **14**
Willington Clo. *Camb* —7A **4**
Willow Clo. *Myt* —3D **16**
Willow Ct. *Ash V* —1F **21**
Willow Ct. Frim —5C **10**
 (off Grove Cross Rd.)
Willow Cres. *F'boro* —7A **10**
Willowford. *Yat* —7A **2**
Willow Grn. *W End* —7G **7**
Willow La. *B'water* —2G **9**
Willow Pk. *Ash* —6E **20**
Willow Rd. *W End* —7G **7**
Willows End. *Sand* —5E **2**
Willows, The. *Light* —4E **6**

Willow Way. *Alder* —1D **24**
Willow Way. *Farnh* —3G **23**
Willow Way. *Sand* —4C **2**
Wilmot Way. *Camb* —3E **10**
Wilson Rd. *Alder* —7C **20**
Wilson Rd. *F'boro* —4J **15**
Wilton Ct. *F'boro* —4C **16**
Wilton Rd. *Camb* —3A **10**
Wimbledon Clo. *Camb* —4E **4**
Wimbledon Rd. *Camb* —4E **4**
Winchcombe Clo. *Fleet* —3K **29**
Winchester Rd. *Ash* —5F **21**
Winchester St. *F'boro* —7B **16**
Winchester Way. *B'water* —7F **3**
Windermere Clo. *F'boro* —4H **15**
Windermere Rd. *Light* —4C **6**
Windermere Wlk. *Camb* —1J **11**
Windermere Way. *Farnh* —3D **22**
Winding Wood Dri. *Camb*
—2G **11**
Windle Clo. *W'sham* —1E **6**
Windlesham Rd. *Chob* —2H **7**
Windlesham Rd. *W End* —5F **7**
Windmill Field. *W'sham* —1D **6**
Windmill Hill. *Alder* —7B **20**
Windmill Rd. *Alder* —7B **20**
Windrush Heights. *Sand* —5D **2**
Windsor Ct. Alder —6J **19**
 (off Queen Elizabeth Dri.)
Windsor Ct. *Fleet* —2K **29**
Windsor Cres. *Farnh* —3E **22**
Windsor Gdns. *Ash* —7E **20**
Windsor Ride. *Camb & Crowt*
—5K **3**
Windsor Rd. *Camb* —1K **7**
Windsor Rd. *F'boro* —6C **16**
Windsor Way. *Alder* —6A **20**
Windsor Way. *Frim* —6E **10**
Wines Clo. *Farnh* —3E **22**
Wingate Ct. *Alder* —6J **19**
Wingfield Gdns. *Frim* —3J **11**
Wings Clo. *Farnh* —3F **23**
Wings Rd. *Farnh* —3E **22**

Winston Clo. *Frim G* —1E **16**
Winston Wlk. *Lwr Bo* —4F **27**
Winterbourne Wlk. *Frim* —6E **10**
Winton Cres. *Yat* —1A **8**
Winton Rd. *Alder* —7K **19**
Winton Rd. *Farnh* —6G **23**
Wishmoor Clo. *Camb* —5D **4**
Wishmoor Rd. *Camb* —5D **4**
Wisley Gdns. *F'boro* —4G **15**
Wistaria La. *Yat* —4E **28**
Withy Clo. *Light* —4D **6**
Wittmead Rd. *Myt* —3E **16**
Woburn Av. *F'boro* —3C **16**
Woburn Clo. *Frim* —5F **11**
Wokingham Rd. *Crowt & Sand*
—1B **2**
Wolfe Rd. *Alder* —7B **20**
Wolseley Rd. *Alder* —7K **19**
Woodbine Clo. *Sand* —6F **3**
Woodbourne. *Farnh* —2H **23**
Woodbourne Clo. *Yat* —7A **2**
Woodbridge Dri. *Camb* —6C **4**
Woodbridge Rd. *B'water* —1E **8**
Woodcock Dri. *Chob* —2K **7**
Woodcock La. *Chob* —2J **7**
Woodcote Grn. *Fleet* —3G **29**
Woodcote Ter. *Alder* —1C **24**
Woodcot Gdns. *F'boro* —3G **15**
Woodcut Rd. *Wrec* —4C **26**
Wood End. *Crowt* —1C **2**
Wood End. *F'boro* —4C **16**
Woodend Rd. *Deep* —7H **11**
Woodgate. *Fleet* —4B **14**
Woodland Dri. *Wrec* —4E **26**
Woodland Rise. *C Crook* —6J **29**
Woodlands. *Fleet* —1J **29**
Woodlands. *Yat* —3A **8**
Woodlands Av. *Farnh* —2J **23**
Woodlands Cvn. Pk. *Ash* —7E **20**
Woodlands Clo. *Ash V* —3F **21**
Woodlands Clo. *B'water* —5H **9**
Woodlands Ct. *Owl* —4J **3**
Woodlands La. *W'sham* —1E **6**

Woodlands Rd. *Camb* —1A **10**
Woodlands Rd. *F'boro* —1G **15**
Woodlands Wlk. *B'water* —5H **9**
Wood La. *F'boro* —4K **15**
Wood La. *Fleet* —6B **14**
Wood La. *Seale* —5G **25**
Wood Leigh. *Fleet* —3K **29**
Woodman Ct. *Fleet* —3J **29**
Woodpecker Clo. *Ews* —1A **22**
Wood Rd. *Camb* —5A **10**
Wood Rd. *Farnh* —2F **23**
Woodside. *B'water* —4F **9**
Woodside. *Camb* —6J **3**
Woodside. *F'boro* —7A **10**
Woodside Rd. *F'boro* —1J **19**
Woodside Rd. *Farnh* —2H **23**
Woodstocks. *F'boro* —1B **16**
Wood St. *Ash V* —2F **21**
Woodville Clo. *B'water* —1E **8**
Wood Way. *Camb* —1A **10**
Wooland Ct. *C Crook* —7H **29**
 (off Brandon Rd.)
Woollards Rd. *Ash V* —4G **21**
Woolmead Rd. *Farnh* —6F **23**
Woolmead, The. *Farnh* —6F **23**
Woolmead Wlk. Farnh —6F **23**
 (off Woolmead Rd.)
Worcester Clo. *F'boro* —7A **10**
Wordsworth Av. *Yat* —4D **28**
Worsley Rd. *Frim* —6D **10**
Wrecclesham Hill. *Wrec* —5A **26**
Wrecclesham Rd. *Farnh* —3C **26**
Wrekin, The. *F'boro* —6D **16**
Wren Clo. *Yat* —3D **28**
Wren Ct. *Ash* —5G **21**
Wren Way. *F'boro* —7J **9**
Wulwyn Ct. *Crowt* —1C **2**
Wychelm Rd. *Light* —5D **6**
Wychwood Clo. *Ash* —6E **20**
Wychwood Pl. *Camb* —4G **5**
Wyke Av. *Ash* —5J **21**
Wyke Bldgs. *Ash* —5J **21**
Wykeham Rd. *Farnh* —6F **23**

Wyke La. *Ash* —5J **21**
Wymering Ct. *F'boro* —4C **16**
Wyndham Clo. *Yat* —6A **2**
Wyndham St. *Alder* —7B **20**
Wynfields. *Myt* —4E **16**
Wynne Gdns. *C Crook* —3A **18**

Yale Clo. *Owl* —3J **3**
Yateley Cen. *Yat* —3E **28**
Yateley Rd. *Sand* —5C **2**
Yatesbury Clo. *Farnh* —3C **26**
Yaverland Dri. *Bag* —3J **5**
Yellowcress Dri. *Bisl* —3H **13**
Yeomans Clo. *F'boro* —2K **15**
Yeomans Clo. *Tong* —1E **24**
Yeomans Way. *Camb* —1D **10**
Yeovil Clo. *F'boro* —6C **16**
Yeovil Rd. *F'boro* —6D **16**
Yeovil Rd. *Sand* —4G **3**
Yetminster Rd. *F'boro* —6C **16**
Yew Tree Clo. *F'boro* —4F **15**
Yew Tree Wlk. *Frim* —5E **10**
Yockley Clo. *Camb* —2J **11**
Yolland Clo. *Farnh* —2F **23**
York Cres. *Alder* —7J **19**
York La. Ter. Camb —1A **10**
 (off York La.)
York Rd. *Alder* —7J **19**
York Rd. *Ash* —5F **21**
York Rd. *Camb* —6C **4**
York Rd. *F'boro* —6B **16**
York Rd. *Farnh* —2F **27**
York Ter. La. *Camb* —1K **9**
Yorktown Rd. *Sand & Col T*
—5D **2**
York Way. *Sand* —5E **2**
Youlden Clo. *Camb* —1F **11**
Youlden Dri. *Camb* —1F **11**
Youngs Dri. *Ash* —6E **20**

Zinnia Dri. *Bisl* —3H **13**